Chauve qui veut !

À tous nos clients

Ce livre, nous ne l'avons pas écrit. Il était depuis longtemps dans nos têtes. Ce livre, nous ne l'avons pas conçu. Ce sont nos équipes de collaborateurs qui en ont le mérite. Nous avons l'incroyable chance d'être entourés de personnes animées du *feu sacré,* qui aiment leur profession autant que nous et qui nous sont d'une fidélité à toute épreuve.
Nous leur sommes profondément reconnaissants.

Pierre Bédard
Gil Mennetrey

Pierre Bédard, M.D.

avec la collaboration de:
Gil Mennetrey
Jacques Beaulieu

Chauve qui veut !

Les Éditions Ph. D.

Données de catalogage avant publication (Canada)

Bédard, Pierre, 1936-

Chauve qui veut!

ISBN 2-9804989-0-4

1.Cheveux - Greffe, 2,Calvitie-Traitement, 3,Cheveux, I. Mennetrey, Gil, 1937- , II, Beaulieu, Jacques, 1948 18 juin- , II, Titre.

RD121.5.B42 1996 617,4'779 C96-940267-8

Conception graphique, couverture: Martel et cie.

Illustrations: Claude Leduc

Mise en page: Jacques Beaulieu

Dépot légal - Bibliothèque nationale du Québec, 1996

Imprimé au Canada

Les auteurs dédient ce livre à tous ceux qui connaissent des problèmes de calvitie. Trop souvent, malheureusement, ils se retrouvent victimes à plusieurs égards. Lorsque, en effet, ils ne sont pas victimes de l'humour douteux de leur entourage, ils se font constamment solliciter par une panoplie de produits. Afin de leur apporter appui et compréhension, nous avons écrit ce livre.

Table des matières

Avant-propos

AVANT-PROPOS

Chauve qui veut,

n'est pas simplement un jeu de mots. En raison de la nature et l'étendue de la calvitie, tous les chauves ne peuvent régler leur problème de la même façon. Par contre, il existe diverses solutions. On peut affirmer que tous ceux pour qui la calvitie cause un problème peuvent bénéficier d'une technique ou d'une combinaison de différentes techniques qui leur apportera satisfaction. Nous parlerons surtout dans ce livre de la microgreffe des cheveux, une technique chirurgicale qui permet des résultats extraordinaires sur le plan de l'esthétisme et qui de plus sont permanents. Cependant elle porte une limite que l'on appelle le *capital cheveu*.

ou sauve qui peut.

On pourrait définir ainsi le capital cheveu: *le nombre de cheveu qui restera une fois que la calvitie aura fini d'évoluer.* La microgreffe consiste essentiellement à prélever des cheveux d'un endroit sur le cuir chevelu (appelé *zone donneuse*) et de les transplanter dans un autre (appelé *zone receveuse*). Il faut donc qu'il y ait suffisamment de cheveux dans la zone donneuse pour bien garnir la zone receveuse. Mais à vingt ans, on ne peut savoir exactement quelle sera la zone receveuse à 40 ans, comment aura évolué la calvitie. C'est la grande question de la gestion du capital cheveu.

Gestion du capital cheveu

Il s'agit de la partie la plus critique dans la microgreffe. Et les erreurs viennent la plupart du temps d'une mauvaise gestion du capital cheveu. Pourquoi? Il y a deux réponses possibles: le médecin traitant et le patient. Souvent, dans un désir bien légitime de satisfaire son client, le médecin procédera à des greffes trop hâtives dégarnissant ainsi la zone donneuse. Une fois que la calvitie aura terminé son évolution, il ne restera plus suffisamment de cheveux pour corriger cette nouvelle situation définitive.

Quant au patient, il pourrait consulter plus jeune afin de suivre l'évolution de sa calvitie. Un suivi précoce annuel permet une gestion optimale du capital cheveu et il risque moins de se retrouver à 40 ans dans une situation où il n'y a plus rien à faire.

Prévoir afin de pouvoir

S'il existait une seule bonne raison d'écrire ce livre, ce serait bien cette dernière. Permettre au public de participer activement à la gestion de leur capital cheveu contribuerait à une amélioration sensible des résultats à long terme. Nous le mentionnerons souvent dans ce livre: ***rien ne presse dans la microgreffe de cheveux***. Ce livre se veut avant tout un guide vous permettant de bien prendre votre temps pour choisir un chirurgien, décider d'une greffe et assurer un suivi tant préventif que postopératoire. Il n'est jamais urgent de décider et le temps que vous utilisez en information peut vous rendre de précieux services.

De mon côté, j'espère qu'une telle information me permettra de me consacrer pleinement à mon art en ayant moins de ces cas de corrections d'erreurs si déplaisantes pour le patient et nettement plus complexes du point de vue chirurgical.

Si le principe de la consultation précoce peut trouver preneurs dans la population, alors ce livre aura été un plein succès.

L'importance de la chevelure

Une des caractéristiques qui différencient les mammifères des autres animaux (oiseaux, reptiles, et autres) est la présence d'un système pileux qui protège la peau. En fait, les cheveux jouent plusieurs rôles. Ils forment un isolant contre le froid en hiver et contre la chaleur en été en maintenant une couche d'air entre la peau et l'extérieur (thermo-régulation). La chevelure protège aussi la tête en étant la première à ressentir un obstacle, comme les moustaches le font chez le chat. Les chauves se frappent plus souvent la tête car ils n'ont pas ce contact «avertisseur» des cheveux. Chez l'être humain, les cheveux, cils et autres poils constituent des attributs qui, tant sur les plans physiologique que symbolique et esthétique, ont marqué l'histoire de l'humanité.

L'antiquité

«Le rasoir n'est jamais passé sur ma tête, car je suis consacré à Dieu depuis le sein de ma mère.

Si j'étais rasé, alors ma force se retirerait loin de moi, je deviendrais faible et je serais pareil aux autres hommes.»[1]

Cette confidence que fit Samson à Dalila, lui coûta ses yeux, sa liberté et sa vie. Sa force légendaire lui venait donc de sa chevelure. Un jour, armé d'une seule mâchoire d'âne qu'il avait trouvée par terre, Samson avait éliminé 1 000 Philistins. Pour se venger de lui, ceux-ci lui brûlèrent les yeux et en firent leur esclave. En brisant deux colonnes qui soutenaient le temple, Samson mourut en tuant plusieurs autres milliers de Philistins. Le récit de cette histoire date de plus de trois mille ans.

Ce récit biblique illustre bien les symbolismes reliés à l'importance de la chevelure chez l'être humain: force, virilité, relation avec la spiritualité, etc.. D'autres textes[2], encore plus anciens, provenant de l'Orient, confirment ce rôle. Chez les Bouddhistes, le cheveu est le prolongement de la veine *susumna* qui longe la colonne vertébrale reliant entre eux les six *chakras*. Ce prolongement relie l'homme au divin. Les *yogi* se rasent le crâne en signe de chasteté. Ces ascètes (personnes qui pratiquent une vie rude et démunie afin d'accroître leur spiritualité) considèrent la chevelure comme un signe matériel de beauté et de puissance sexuelle.

Finalement mentionnons la crinière du lion qui l'a certainement aidé à être couronné roi des animaux.

Ce lien entre divinité, beauté, sexualité et puissance reposant sur l'importance de la chevelure demeurera toujours inscrit dans le symbolisme des sociétés. Plusieurs traditions et coutumes sociales dont certaines se perpétuent encore, nous en fournissent la preuve.

Royauté et chevelure

Les rois de France devaient porter une abondante chevelure. Bien vite, ils se rendirent compte que leur titre de roi ne leur garantissait pas de façon naturelle cette distinction capillaire. De là naquit la perruque que portaient avec fierté d'abord les rois seulement, puis les nobles de la cour royale. Aujourd'hui, nous serions mal venus de rire de ces subtilités aristocratiques, car dans plusieurs cours de justice, le juge porte encore la perruque.

Le port de la calotte chez les Juifs ou chez les prêtres servait-il à cacher une tonsure ou encore à symboliser une couronne, signe d'autorité religieuse?

Autorité et chevelure

Si les rois et les juges, ces représentants de l'autorité suprême, devaient exhiber une imposante coiffure, les autres, le peuple, devaient à l'inverse se raser les cheveux devant ces autorités en signe de soumission. Évidemment, il était très peu pratique de se raser chaque fois qu'on rencontrait son roi, surtout si on faisait partie de la cour. On commença donc à se couvrir la tête d'un chapeau ou du moins d'un voile en présence d'un dignitaire. Cette marque visible d'inégalité des classes se modifia peu à peu et l'obligation de se couvrir la tête n'incomba bientôt plus qu'aux femmes. Jusqu'au milieu du vingtième siècle, les femmes devaient porter un chapeau pour entrer dans une église.

Soumission et chevelure

Les cheveux rasés courts font encore partie des moeurs militaires. Certes, cela comporte des avantages pratiques au niveau de l'hygiène, mais il reste que celui qui doit se soumettre inconditionnellement à un ordre se doit d'être rasé. A titre d'exemple, à la fin de la dernière grande guerre mondiale en 1945, on rasa le crâne des femmes qui avaient sympathisé de trop près avec l'ennemi...

Identification et chevelure

Souvent les extrêmes adoptés par des minorités permettent de mieux comprendre toute la gamme des nuances que constitue la majorité. Ainsi, examinons deux tendances: la mode *hippie* des années 1960 et celle plus actuelle des *skin heads*. En 1960, c'était le rejet des valeurs morales traditionnelles, le refus de la guerre du Vietnam, la sexualité libre et ouverte qu'exprimait une minorité de jeunes à la chevelure longue et décoiffée. Porter une telle chevelure constituait une identification à une idéologie qui naissait au grand dam de l'autorité de l'époque. Cette contestation des valeurs politiques de droite amena toute la société plus à gauche. Ceux qui avaient 20 ans à cette époque sont aujourd'hui au pouvoir. Et cette société plus libérale est aujourd'hui, à son tour, contestée. Une minorité est née, les

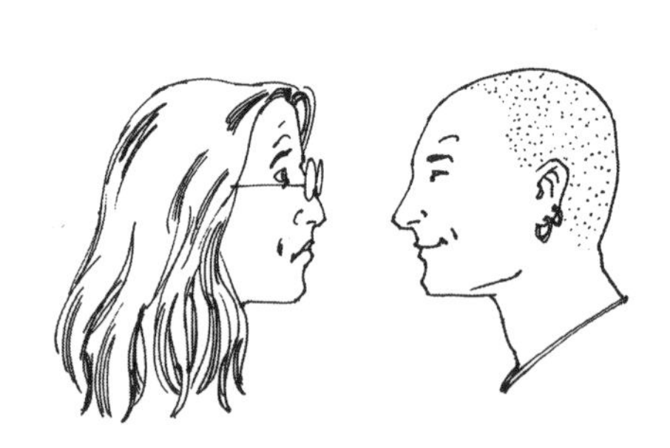

skin heads. Même en oubliant ces facteurs sociologiques, il n'en demeure pas moins que, du plus conventionnel au moins, la chevelure constitue un des éléments de notre apparence qui illustrent à quel groupe nous voulons appartenir. La femme ou l'homme d'affaire bien coiffé, ou encore l'artiste plus décontracté, ou l'intellectuel quelque peu extravagant portent tous des coiffures distinctives.

Sexualité et chevelure

Que ce soit chez la femme ou l'homme, la chevelure fait partie intégrante des atouts sexuels, un peu comme la couleur des plumes chez l'oiseau. On retrouve dans les fouilles préhistoriques l'existence du peigne ce qui témoigne que ce n'est pas d'hier que l'on se coiffe. Les modes et habitudes sociales vont changer au cours des âges et des siècles, mais il doit exister bien peu d'adolescents (s'il en existe) qui ne se coiffent avant d'aller à la recherche de l'âme soeur. Dans certaines religions, la femme ne doit montrer sa chevelure qu'à son époux ou aux autres femmes de sa communauté. Dans la religion catholique, on coupait les cheveux aux religieuses et les prêtres et frères recevaient la tonsure en signe de promesse de chasteté. A l'inverse on considérait les chauves comme étant dotés d'une sexualité plus active parce qu'on avait remarqué que la perte des cheveux était surtout l'apanage des hommes[3]. La profession de coiffeur existait déjà dans les civilisations antiques et celui-ci devint rapidement un confident à qui on parlait de ses amours, de ses aspirations, etc... «*Seul son coiffeur le sait*» disait une publicité, tout de même assez récente...

Expression et chevelure

Si au niveau social, la coiffure a occupé et occupe toujours une telle importance, dans la vie de chaque jour, le cheveu ne cède pas sa place... En effet, combien d'expressions du langage courant comportent le mot cheveu? Sans vouloir arriver comme un cheveu sur la soupe, je ne voudrais pas non plus couper les cheveux en quatre ou m'arracher les cheveux de la tête, pour expliquer que sans vraiment s'en rendre compte, nous parlons souvent de cheveux. Il faut cependant saisir l'occasion par les cheveux et constater que, mine de rien, nous en sommes à un cheveu de réussir cette explication. Mais, avant de se prendre aux cheveux, permettez-moi de m'excuser pour ce paragraphe, ce matin j'ai mal aux cheveux...[4]

En guise de conclusion

Toutes ces considérations démontrent que selon les âges et les modes, les rangs sociaux et l'identification personnelle, la chevelure demeure une partie importante de ce que les psychologues appellent *l'image de soi.*

Nous reviendrons sur ce concept, bien légitime, un peu plus loin dans ce volume.

....

[1] Juges 16, 17. La Bible, TOB, p. 310 Alliance Biblique Universelle, Le Cerf, Paris 1977

[2] Obeseyesekere Ganatath, Medusa's Hair, an Essay on Personnal Symbols and Religious Experience, University of Chicago, c1981

[3] Nous reviendrons sur ce préjugé dans le chapitre 3.

[4] Vous direz certainement que tout ceci est pas mal tiré par les cheveux.

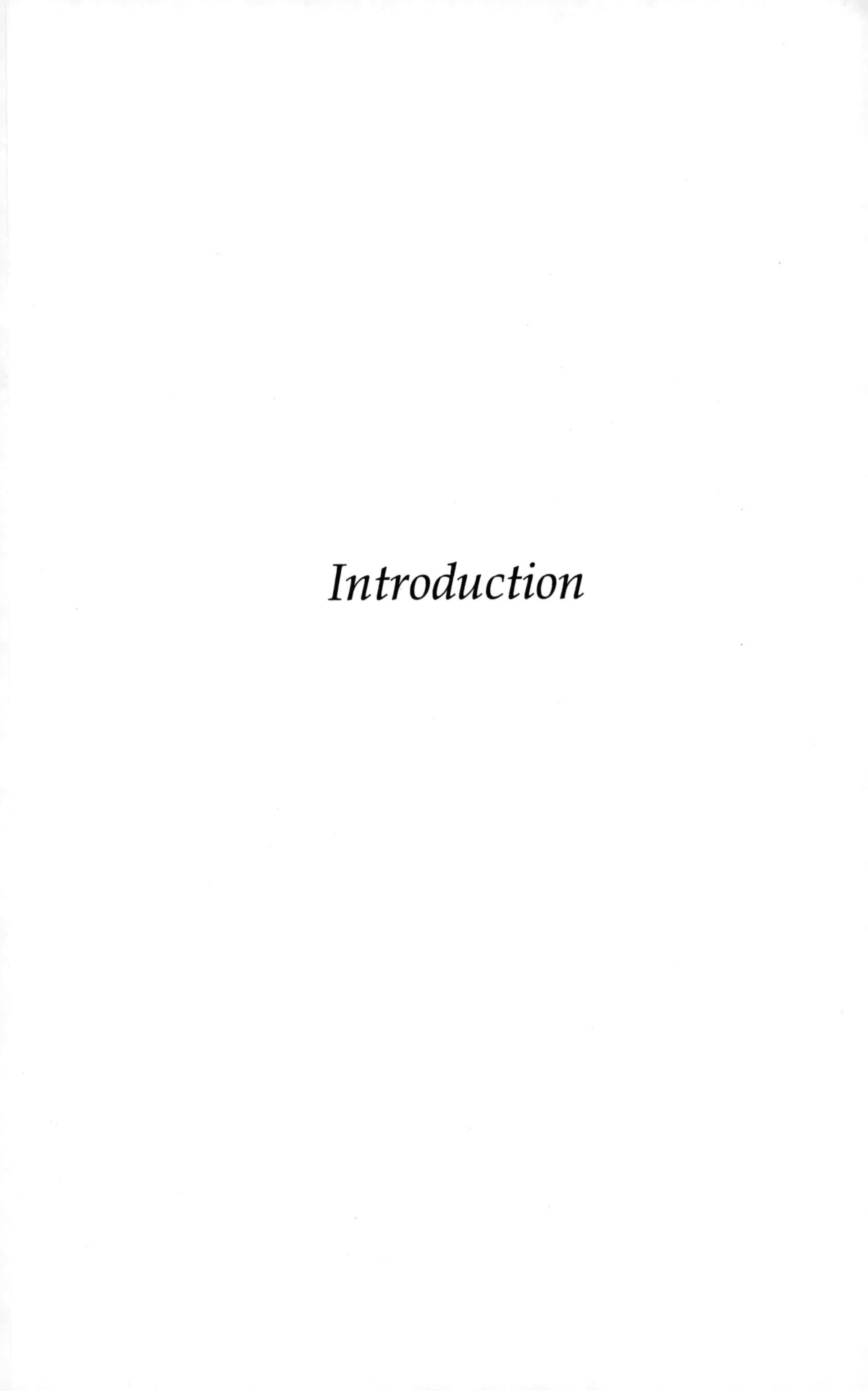

Introduction

INTRODUCTION

Résultats 4 mois après une première séance de microgreffe.

6 mois après une troisième séance

Microgreffe, microtransplantation, transplantation douce sont toutes les synonymes d'une technique récente de transplantation des cheveux. Pourquoi écrire un livre sur ce sujet? D'abord parce que le problème de la perte des cheveux touche un peu plus de la moitié de la population adulte masculine. Il était donc important de sortir un ouvrage traitant de ce sujet et proposant à ceux qui le veulent une solution. Ensuite, comme nous l'avons souligné en avant-propos, il serait bénéfique que les gens apprennent à consulter de façon précoce dans le but d'optimiser leur résultat. Finalement nous souhaitons que ce livre enfin rétablisse la vérité.

En effet, depuis les débuts difficiles de la transplantation jusqu'à aujourd'hui, plusieurs informations ont été dites, décrites et véhiculées dans les médias. Les images qui en sont restées ne représentent plus l'état actuel de la situation.
«Les gens heureux n'ont pas d'histoire» dit l'adage. Et c'est particulièrement vrai dans le domaine de la greffe capillaire. A ses débuts, la greffe capillaire a bien fait quelques victimes dont nous avons entendu parler abondamment. Aujourd'hui, après des décennies de perfectionnement et de raffinement, les gens qui y ont recours sont très heureux des résultats. Nous n'en entendons plus parler.

Une population fort sollicitée

La perte des cheveux intéresse bien des personnes. Les premiers intéressés sont ceux qui perdent leurs cheveux. Nous traiterons ici de la calvitie d'origine hormonale et non suite à des maladies du cuir chevelu. Ce type de calvitie touche en très grande majorité les hommes. Exceptionnellement, la calvitie hormonale touche les femmes mais à un âge plus avancé (autour de la ménopause) et bien moins durement.
Un des buts de ce livre est d'expliquer au-delà des mythes et préjugés les raisons scientifiques de cet état ainsi que les solutions objectivement envisageables. D'autres personnes promettent des solutions. Si, bien des acteurs dans ce domaine sont sérieux, il y en a toujours pour faire la promotion de produits miracles, vitamines, aliments, crèmes, gelées, ou nouveaux procédés qui ramèneront les cheveux perdus. Trop souvent le public qui recherche des solutions faciles est piégé.

Comme vous le verrez dans ce livre, la microtransplantation douce des cheveux ne s'applique malheureusement pas à toutes les personnes souffrant de calvitie (perte des cheveux). Nous tenterons donc de faire le tri dans ce qui est proposé et vous présenter les solutions efficaces. Notre objectif premier est donc de fournir aux intéressés un mode d'évaluation rationnel parmi l'éventail des différentes possibilités afin qu'ils puissent, s'il y a lieu, prendre une décision la plus éclairée possible. Une meilleure information pourrait aussi éviter à plusieurs de se laisser prendre par certaines promesses qui garnissent plus certains goussets que le front des pauvres victimes...

Qui peut avoir recours à la microtransplantation douce des cheveux?

Il s'agit d'une question capitale. Des facteurs physiques, psychologiques et sociaux peuvent favoriser ou non l'application de cette technique pour tel ou tel autre individu. A titre d'exemple, une rupture ou un divorce ne sont pas les moments appropriés pour décider de vous faire greffer des cheveux. Tous ces aspects doivent être pris en considération ***avant*** de décider. La microgreffe ne représente jamais une urgence. Il faut prendre bien son temps pour analyser la situation, envisager les diverses solutions, choisir son chirurgien et discuter franchement avec lui. Nous le rappelons: ***rien ne presse***. Après tout, vos cheveux ne sont pas tous tombés en un jour. Nous consacrons un chapitre entier à cette question de prise de décision. Se rappeler: *les bons candidats ont de bons résultats.*

Les étapes de la microtransplantation

On n'arrive pas chez le médecin et quelques heures plus tard tous nos cheveux sont transplantés. Il s'agit, comme son nom l'indique, d'une méthode douce, donc graduelle. En même temps qu'une opération médicale, on doit effectuer un véritable travail d'artiste. Selon la quantité de cheveux à transplanter, la plage à couvrir, la microgreffe s'échelonnera sur plusieurs mois. Voilà donc une autre bonne raison d'être bien certain de son choix. On ne doit tout de même pas arrêter en chemin.

Les soins avant et après la transplantation

Ce livre fournira une description détaillée des soins pré et postopératoires. Sachant à l'avance les soins que vous devrez apporter avant et après la transplantation, vous serez en mesure de prendre une décision encore plus éclairée.

L'opération même

On devrait plutôt dire: «les opérations mêmes», car, comme nous l'avons souligné, la microgreffe s'effectue en plusieurs étapes s'échelonnant sur plusieurs mois. Pour chaque visite nous examinerons les rôles des trois acteurs principaux: le chirurgien, le ou la technicienne et vous.
Vous saurez donc ainsi, minute par minute, ce qui se passera, comment vous serez installé, etc.

Les témoignages

Notre but n'est certes pas ici de faire notre propre éloge! Mais il est intéressant de connaître comment d'autres personnes, aux prises avec le même problème, ont été amenées à décider de se faire transplanter des cheveux, comment elles ont réagit au processus de microgreffe et ce qu'elles en retirent après coup. Autrement dit, connaître les motivations initiales, les impressions durant les transplantations et les résultats finaux, peut permettre de les comparer avec nos propres motivations et mieux anticiper les résultats.

En conclusion:

Une bonne motivation personnelle (on n'entreprend pas une greffe pour faire plaisir à quelqu'un d'autre), des attentes réalistes et une capacité physique (la technique ne crée pas des cheveux, elle les redistribue) peuvent faire de vous un candidat potentiel à une microgreffe, si vous le désirez. Ces derniers quatres petits mots sont primordiaux dans l'intention de ce livre. En effet, plusieurs personnes vont s'accommoder facilement de leur calvitie et c'est très bien ainsi. Notre but n'est certainement pas de les convaincre d'opter pour une greffe de cheveux. Pour ceux qui le désirent, nous avons voulu vous fournir un maximum d'informations dans le but de vous éclairer objectivement.

....

Chapitre 1
Les cheveux, leur follicule et les hormones

LES CHEVEUX, LEUR FOLLICULE ET LES HORMONES

Comprendre pour agir:

Il est toujours préférable de faire réparer le téléviseur que de taper avec force sur le meuble. Cette comparaison nous montre à quel point, lorsqu'on ne sait pas comment ça fonctionne, on pose des gestes plus ou moins logiques... Dans le domaine de la santé, il en va souvent de même.

«Rase tes cheveux souvent, ils vont pousser plus vite!» disait ma mère. J'ai passé mon adolescence à souffrir de porter une horrible coupe «brosse» dans l'ultime espoir de ne pas perdre mes cheveux comme mon père qui à quarante ans était chauve. Sans compter sur le supplice du rasoir dont j'affublais mon visage dans le but de faire pousser ma barbe afin de paraître plus vieux aux yeux de ces demoiselles. Ce truc là non plus n'a pas fonctionné...

En examinant de près comment pousse un cheveu, tel que nous le verrons dans ce chapitre, on comprendra facilement les causes de ces échecs. Connaître pour pouvoir afin de prévoir, disait le sage. En savoir souvent juste un peu plus est suffisant pour éviter des erreurs inutiles et parfois coûteuses.

Ce n'est pas particulièrement drôle de se faire berner par une publicité qui nous annonce, enfin, la solution à la calvitie. Combien d'efforts et d'argent sont ainsi gaspillés pour au mieux n'obtenir aucun résultat et au pire avoir accentué la perte de cheveux?

Les «Si j'avais su!» et «J'aurais donc dû!» deviendront moins fréquents si vous prenez la peine de vous pencher sur ce chapitre.

Quelques notions de vocabulaire

L'aspect le plus rébarbatif[1] des sciences est souvent son vocabulaire. On dirait que celui-ci a été élaboré pour que personne ne puisse le comprendre. C'est que, scientifiquement, un mot ne doit désigner qu'une seule chose. Dans le langage courant le mot *clé* peut désigner un objet qui sert à verrouiller et déverrouiller une porte, dans l'expression la *clé du bonheur*, il a un autre sens de même que dans la *clé des champs*, il prend une autre signification. En science, nous exigeons plus de précision.

Pour faciliter votre lecture, chaque fois que nous utiliserons un mot qui sort du vocabulaire courant, nous vous en fournirons une explication.

Avant même de naître

Chez le foetus d'à peine trois mois, l'épiderme[2] qui est la partie visible de la peau commence à s'épaissir à certains endroits. Cet épaississement vers l'intérieur (donc en direction du derme) donnera les follicules pileux qui sont les endroits où sont fabriqués cheveux et poils. À l'âge de cinq mois, le foetus possède déjà ses cheveux et poils. Mais ceux-ci sont très fins. On leur donne le nom de «laguno» qui vient du latin *lana* et signifie: laine. Cette laguno disparaît avant la naissance sauf pour les sourcils, cils et cheveux.

Chez le nouveau-né

La laguno disparaît et est graduellement remplacée par des cheveux et poils plus épais, c'est le *duvet,* qui lui-même sera remplacé par les cheveux et poils plus définitifs.

L'adolescence

C'est ici le premier effet remarquable des hormones sur la pilosité[3]. Les poils pubiens et les poils sous les aisselles feront leur apparition. De plus chez le mâle, les poils commenceront à pousser au visage.

Anatomie d'un cheveu

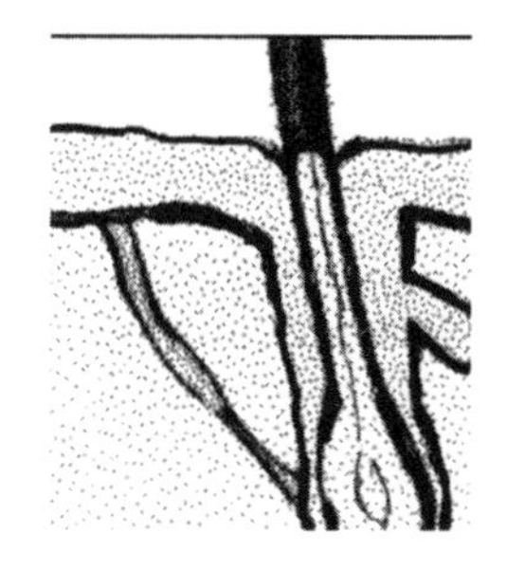

Vous voyez ici un cheveu en coupe (comme si une mince tranche jusqu'à sa racine était découpée). On y reconnaît facilement: *l'épiderme, le derme, le follicule et le cheveu.* On voit aussi une *glande sébacée* et les *muscles* qui sont attachés au cheveu. Il est intéressant de noter qu'à la base, sur presque la moitié de sa longueur, le cheveu est «attaché» aux tissus environnants. C'est à cet endroit que le cheveu est fabriqué par les cellules du follicule. Le tissu du cheveu comme tel est fabriqué à la base que l'on nomme: *matrice.* Tout au long de sa montée, le cheveu est d'abord recouvert de *kératine.* C'est en fait le même type de substance qui forme la corne et les ongles. Sur le cheveu, la kératine est disposée en petites écailles imbriquées.

Une petite expérience pour les curieux

Un petite expérience amusante vous permet de «sentir» ces petites écailles. En effet en serrant légèrement un cheveu entre le pouce et l'index et le laissant glisser de la racine vers la pointe, vous ressentirez peu de résistance. Si vous exercez le même mouvement en sens inverse (de la pointe vers la racine) vous sentirez une plus grande résistance; c'est que, dans cette direction, vous poussez ces écailles microscopiques à contre sens).

Applications pratiques de ces constatations

Une première constatation: le cheveu pousse par la racine. Donc couper les cheveux souvent n'aide en rien à la pousse. Cette croyance vient probablement de la comparaison avec la pousse du gazon ou des végétaux en général. Les végétaux poussent par leurs deux extrémités: les racines et les tiges. Si on coupe régulièrement l'extrémité des tiges, on favorise la croissance. Mais, le cheveu, comme nous l'avons vu, ne pousse que par sa racine.

Autre constatation pratique: après une microgreffe, le cheveu va tomber. Un nouveau cheveu poussera dans le follicule et celui-là sera permanent. Comme nous le voyons sur le graphique du cheveu et follicule en coupe, le follicule est nourri par les capillaires sanguins. Lorsque le follicule est greffé, il mettra un certain temps à refaire son réseau de connexion capillaire avec le système sanguin. Durant ce travail, le follicule ne fabriquera plus de cheveux, ce qui explique que le cheveu présent lors de la greffe tombera. Puis son réseau complété, le follicule reprendra sa fonction de fabriquer un

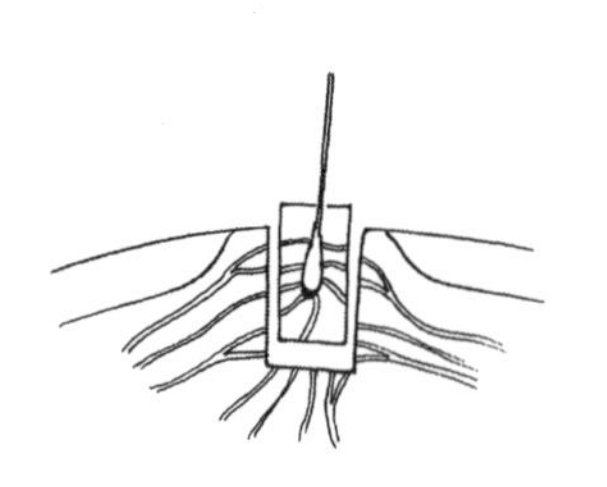

cheveu: donc le cheveu repousse et est permanent dans le sens que lorsqu'il tombera à nouveau, un nouveau cheveu se refera.

Et la calvitie alors:

Aussi bizarre que cela puisse paraître, le cheveu n'a rien à voir avec la calvitie. Tout se joue au niveau du follicule. C'est lui qui produira ou non un cheveu. Comme ce problème se rencontre en grande majorité chez les hommes, il existe une cause hormonale. Pendant longtemps on a pensé que les hommes qui produisaient plus de testostérone souffraient plus de calvitie. On alla jusqu'à penser que les chauves étaient des super mâles dotés de puissance sexuelle plus élevée que la moyenne. N'en déplaise aux victimes de calvitie, il s'agit d'un mythe. Car pour qu'il y ait calvitie, un autre élément doit être présent: l'hérédité. Autrement dit, les femmes peuvent être porteuses du gène responsable de la calvitie mais comme elles ont très peu de testostérone, elle ne souffriront pas de calvitie.

Tout se joue au niveau du follicule, avons-nous dit. Chez les hommes porteurs du gène de la calvitie, existent des follicules insensibles à la testostérone. Ils sont situés en forme d'une couronne passant juste au-dessus des oreilles. Les médecins appellent cette couronne: la couronne d'Hippocrate, rappelant ainsi la coiffure du premier grand médecin occidental. Les follicules qui s'y trouvent ne subissent pas les affres de la testostérone. Comme le follicule est l'élément important, un tel follicule prélevé dans la couronne d'Hippocrate, restera toujours productif, même s'il est greffé dans une zone auparavant chauve. Voila ce qui nous permet de garantir la fiabilité de notre intervention.

Les accessoires du follicule

Si on revient à notre graphique du cheveu en coupe, on remarque deux éléments dont nous avons peu parlé: les glandes sébacées et les muscles lisses. Les glandes sébacées produisent une huile: le sébum. Cette huile offre deux avantages pour le cheveu et la peau: c'est d'abord un bon lubrifiant agissant un peu à la façon d'une crème pour la peau, ensuite il constitue un protecteur contre les températures extrêmes. Quand il fait trop froid, en couvrant la peau, il lui permet de limiter son évaporation; donc il permet au corps de conserver sa chaleur à l'intérieur. Inversement quand il fait trop chaud, il permet, par son effet lubrifiant, d'éviter une sécheresse dangereuse de la peau. Merci, glandes sébacées.

Le cheveu est attaché, à son tiers inférieur, à des muscles lisses: les muscles érecteurs. Encore ici, il y a double fonction. Quand il fait froid, on a la chair de poule; celle-ci est due à la contraction de ces muscles. En plissant ainsi la peau, ces muscles permettent au corps de conserver plus de chaleur. Le même phénomène de contraction de ces muscles peut se produire lors d'une émotion forte. «A faire dresser les cheveux sur la tête» est alors à peine exagéré. D'ailleurs ces muscles sont essentiels à un petit mammifère, représentant son unique moyen de défense; il s'agit du porc-épic...

....

[1] En passant ce mot vient de l'ancien français «rebarber» qui signifiait: *faire face* (se retrouver *barbe à barbe*)

[2] La peau est composée de diverses couches de cellules, dont le derme et la couche qui le recouvre: l'*épi*derme

[3] Ensemble des cheveux et poils couvrant le corps humain

Chapitre 2
La calvitie

La calvitie

Les types de calvitie

Plusieurs facteurs peuvent provoquer la calvitie: des blessures suite à des accidents ou à des brûlures (facteurs traumatiques), diverses maladies de la peau (facteurs dermatologiques) et des hormones (facteurs hormonaux). Le présent ouvrage n'étant pas axé sur la dermatologie, nous n'aborderons ici que la calvitie hormonale. Le type de calvitie provoquée par les hormones se nomme aussi: «*calvitie hippocratique*». Cette dernière fut aussi appelée, à tort, «*calvitie mâle*». Bien qu'il est vrai qu'elle soit plus fréquente chez les hommes, les femmes n'en sont pas totalement épargnées.

L'hérédité

La calvitie hippocratique est héréditaire. Comme nous l'avons vu dans le chapitre traitant de l'anatomie et la physiologie du cheveu, si la calvitie n'est pas apparente chez votre père ou votre mère, il faut retracer chez vos oncles paternels ou maternels le filon héréditaire.

Les causes hormonales

La plupart des poils de l'organisme sont sensibles à l'hormone mâle appelée: *testostérone*. On sait en effet que cette hormone stimule l'apparition de la pilosité: barbe, poils sur l'estomac, parfois même dans le dos, poils pubiens, etc. Or la testostérone, en combinaison avec un facteur héréditaire, peut détruire les follicules et les cheveux d'une région plus ou moins grande de la tête: le *vertex* (le dessus de la tête). En fait, nous avons sur la tête deux sortes de follicules totalement différents: les follicules de la couronne qui sont insensibles à la testostérone et permanents, et les follicules du vertex qui à l'opposé peuvent être génétiquement sensibles aux hormones. Lorsqu'on comprend bien la différence entre ces deux types de follicules, on est en mesure de comprendre qu'un follicule de la couronne qui est greffé sur le vertex sera permanent et toujours insensible à la testostérone. **Il ne s'agit pas** comme plusieurs seraient tentés de penser, d'un *bon cheveu* qu'on grefferait au *mauvais endroit.* C'est un follicule insensible aux hormones qui demeurera **permanent** quel que soit l'endroit du vertex où il est greffé.

Les causes adjuvantes

Une cause principale est une cause sans laquelle telle condition ne peut absolument pas survenir. Par contre une cause adjuvante est un facteur qui peut accélérer ou modifier l'apparition d'une condition quelconque. La cause principale de la calvitie hippocratique, nous l'avons vu, est une sensibilité génétique à la testostérone. Mais il y a aussi des causes adjuvantes qui peuvent faire apparaître plus ou moins rapidement une calvitie héréditaire, mais qui, en l'absence de l'hérédité, ne peuvent pas la causer. Par exemple, en l'absence de ces causes adjuvantes, votre calvitie aurait pu apparaître dans la quarantaine plutôt que dans la trentaine. Donc pour **retarder** le plus possible l'apparition et l'évolution de la calvitie, il faut éviter ces causes adjuvantes. Il s'agit du stress, de la dermite séborrhéique, de certaines formes de pellicules ou encore d'une mauvaise hygiène du cuir chevelu.

La perte de cheveux

Combien de fois ai-je eu en consultation des personnes dotées d'une chevelure super abondante, exceptionnelle, me dire: "Docteur, je deviens chauve, je perds mes cheveux à la tonne, depuis des années! Il y en a plein ma brosse, plein le lavabo et plein la douche!". La calvitie n'arrive pas sur le peigne ou sur l'oreiller, elle se produit sur la tête... Il faut donc différencier *perte de cheveu* et *calvitie*. La vie d'un cheveu est d'environ trois ou quatre ans après quoi, normalement, ce cheveu sera remplacé par un nouveau. Il y a donc une perte **normale** de cheveux et, cette perte est évidemment proportionnelle à la quantité de cheveux présents sur la tête. Donc, plus vous avez de cheveux, plus vous en perdez quotidiennement. Mais ces cheveux sont remplacés par de nouveaux cheveux de même qualité. Il s'agit alors d'un processus normal de renouvellement des cheveux.

Les critères d'évaluation de l'évolution de la calvitie

Il n'existe malheureusement aucun test, aucune analyse de laboratoire qui permettent de déterminer la progression et l'étendue éventuelle de la calvitie. Nous ne disposons que de trois indices:

- la comparaison avec les parents proches des patients lorsque c'est possible;
- les statistiques; et
- l'expérience du chirurgien.

Les patients peuvent, lorsqu'ils les ont connus, nous décrire la calvitie de leur père ou d'un proche parent. Bien qu'il n'existe pas d'absolu, ces descriptions permettent au chirurgien d'avoir une idée assez précise de l'évolution dans le temps et dans le niveau de calvitie prévisible. Des observations du genre: «A l'âge de trente ans, mon père ou mon oncle n'avait qu'une couronne» aident certainement le chirurgien à établir son plan de traitement. Quant aux statistiques, elles nous fournissent une vague appréciation des mêmes critères. Il ne faut jamais oublier qu'un patient **n'est pas** une statistique. Même si celle-ci nous dit que selon, l'âge et le type de calvitie, cette dernière évoluera statistiquement dans telle direction, la calvitie d'un patient peut fort bien évoluer dans une autre direction. Finalement, l'expérience et le jugement du chirurgien constituent la pierre angulaire d'une opération réussie. Souvent j'ai dû suggérer à mes patients des modifications aux traitements que ceux-ci pensaient venir chercher. A un tel, je conseille de commencer les greffes par la ligne frontale même si celui-ci aurait préféré débuté par sa calvitie tonsurale. A un autre ce sera l'inverse. Il m'a été trop souvent donné de devoir «réparer» des erreurs monumentales (lignes frontales trop basses, mauvaises évaluations initiales du capital cheveu, etc.) pour aujourd'hui, me fier plus à mon expérience qu'aux statistiques.

L'évolution de la calvitie

La calvitie peut évoluer lentement entre 17 et 50 ans, mais le plus souvent elle se produit par poussées, étapes successives entre lesquelles se trouvent de longues accalmies. On remarque souvent une poussée dans la deuxième, la troisième et la quatrième décennie. Habituellement, à 40 ans on commence à avoir une idée assez précise des dégâts. Il arrive que des patients âgés de 25 ans désirent une greffe. Même s'ils me disent que depuis cinq ans, ils ne perdent plus un cheveu, une autre poussée de calvitie peut très bien survenir dans la trentaine ou la quarantaine. Comme la greffe est ***permanente,*** il n'est pas question de parier sur ces cas. L'expérience m'a prouvé qu'il est toujours souhaitable d'envisager le pire scénario, jusqu'à preuve du contraire. Si le pire n'arrive pas, tant mieux. S'il arrive, on n'aura pas gaspillé indûment le capital cheveu. Dans les deux cas, nous aurons ainsi évité des erreurs difficiles ou franchement impossibles à corriger.

Cela me rappelle un patient venu me consulter dans la jeune quarantaine. Le pauvre homme portait continuellement, jour et nuit, un bonnet, enfoncé jusqu'au-dessus des yeux, sur la tête. Lorsque, finalement, il s'est décidé à retirer son bonnet, le spectacle était désolant: une ligne frontale beaucoup trop basse, résultat d'une greffe de cheveu à vingt-deux ans, sui-

vie d'une région chauve puis une zone tonsurale dotée de touffes de cheveux épars. De plus une couronne hippocratique très basse, éliminait presque toute possibilité de capital-cheveu. Il fallut de nombreuses séances de chirurgie pour arriver à un résultat presque acceptable. Du moins notre homme n'était plus condamné au port de son bonnet.

Qualité et quantité de cheveux

Dans notre domaine, l'un ne va pas nécessairement avec l'autre et il faut souvent distinguer entre les deux. Il existe sur le marché une pléthore de produits et techniques qui peuvent modifier **l'apparence** des cheveux en les lustrant, les gonflant et les assouplissant. Des cheveux lustrés, gonflés et plus souples couvrent mieux et donnent **l'impression** d'une chevelure plus abondante. Ces produits sont très valables et permettent de tirer le maximum d'éclat de la chevelure. Attention, le produit qu'utilise votre voisin, n'est pas forcément celui qui vous convient le mieux. Les réactions chimiques de ces produits peuvent différer d'un individu à un autre.

Nous ne connaissons aucun produit ou médicament qui peut provoquer l'apparition de nouveaux follicules dans le cuir chevelu. On peut mettre de l'engrais tant qu'on peut dans la terre, s'il n'y a pas de semences dans le sol, il ne poussera pas grand chose. En réalité, il existe un produit qui peut stimuler des follicules affaiblis, il s'agit du minoxidyl dont nous parlerons au chapitre sur le traitement médical.

....

Chapitre 3
Les aspects psychologiques

LES ASPECTS PSYCHOLOGIQUES

Introduction

La dimension technique de la greffe de cheveux en raison de ses résultats visibles attire évidemment l'attention du principal intéressé. Ce n'est que lorsque les cheveux sont poussés et que la situation est rétablie que les patients et leurs partenaires de vie se rendent réellement compte des répercussions psychologiques positives de l'intervention. Au cours des visites postopératoires, combien de fois ai-je entendu des témoignages tels: «Vous avez changé ma vie docteur» ou de la part de leur partenaire: «J'ai retrouvé l'être que j'avais rencontré il y a vingt ans, docteur, on fait du sport, on s'amuse et on fait l'amour comme avant».

L'impact de la perte de cheveux

En fait, on devrait parler des impacts de la perte de cheveux car ceux-ci se situent à plusieurs niveaux. Une modification aussi évidente de l'image corporelle exige une adaptation qui ne peut passer inaperçue. Certaines conséquences de cette adaptation sont conscientes et d'autres demeurent inconscientes. La rationalisation est un exemple d'un impact conscient de la calvitie. On se convainc que c'est normal, que c'est héréditaire, que ça donne un air sérieux, etc. ! Les impacts inconscients sont plus nombreux et bien plus subtils et ce n'est bien souvent que lorsque la situation est corrigée qu'on peut se rendre compte des répercussions psychologiques de la calvitie. En fait ces répercussions sont souvent hors de proportion avec les changements physiques de la personne concernée.

Réaction et adaptation

Voyons un exemple. Lorsqu'une personne est amputée d'un membre, il y a une période que les psychologues appellent le *deuil*. Autrement dit, la personne ainsi amputée vivra un deuil, comme si elle avait perdu un être cher. Comme dans ce cas, la perte est immédiate, elle sera suivie par une période dépressive fort compréhensible.

Dans le cas de la perte des cheveux, celle-ci se fait graduellement au fil des ans. Il n'y a donc pas en tant que tel ce "deuil" essentiel au rétablissement psychologique. L'extraordinaire capacité d'adaptation de l'être humain fera en sorte que graduellement, j'oserais dire insidieusement, des comportements et des attitudes seront modifiés. En bout de ligne, des nouvelles habitudes seront acquises.

Par exemple, au début, la personne qui perd ses cheveux pourra éviter de choisir, dans un restaurant, une table qui est surplombée d'une lumière. Plus tard, elle pourra éviter toutes tables situées trop près d'une source lumineuse, pour en venir à ne choisir que les tables placées dans les coins sombres du restaurant. Finalement, cet exercice devenant de plus en plus complexe, elle en viendra à ne plus aimer manger au restaurant. Cette modification d'un plaisir en corvée aura pris plusieurs années à s'effectuer et créer une nouvelle habitude: ne pas manger au restaurant! Pour celui qui aimait les sports d'équipe, au début, il se sentira gêné des remarques "drôles" de ses camarades, puis, il arrivera au vestiaire lorsqu'il ne reste presque plus personne, ensuite il évitera le vestiaire, etc..

Comportement social

Ainsi, les chauves adoptent souvent, à leur insu, un comportement social "adapté". Toutes les expressions populaires, les sobriquets et même les moqueries sont un jour ou l'autre utilisés: le vieux! Les cheveux de soldats (i.e. des cheveux qui quittent le front)! Le genou!... Évidemment, l'entourage n'aide pas à la situation avec ce genre de remarques et enfonce à chaque fois le clou un peu plus profondément. On finit par avoir honte de soi, on hésite de plus en plus à sortir et c'est facilement l'exclusion et la solitude.

Toute la vie sociale est affectée par ce divorce entre le moi et l'apparence physique. «Je n'aime pas la face que je vois le matin en me levant», dira-t-on. On refuse de s'accepter et de se reconnaître: désastre et catastrophe.

Atteinte psychologique

Après avoir tenté de modifier sa coiffure, de porter une casquette en permanence, d'éviter les baignades ou la douche avec des amis, de regarder d'où vient le vent quand on marche sur la rue et après avoir subi la pression sociale engendrée par la calvitie, le risque est grand que l'atteinte psychologique ne s'accroisse encore. Dans bien des cas, ce sera la libido même qui sera atteinte. Conséquente de la baisse de l'estime de soi, cette perte aura elle-même des répercussions sur la ou le partenaire, le milieu de travail et les amis. En effet, souvent on a tendance à «transférer» nos émotions sur notre entourage.

Au lieu d'admettre que je ne m'estime plus, on aura tendance à dire à ses proches «tu ne m'estimes plus». Ce mécanisme de protection du «soi» en faisant porter la responsabilité sur l'entourage contribue encore plus à l'isolement et la réclusion de la victime de calvitie. Certes, la situation n'est pas aussi dramatique pour tout le monde, Dieu merci, mais elle n'est pas rare et ce à des degrés divers. Les répercussions au niveau de votre entreprise ou de votre profession peuvent être désastreuses.

En résumé

Au début, la calvitie est perçue comme un processus normal de vieillissement, telle la diminution de l'acuité visuelle ou l'apparition de rides. La rationalisation est facile à ce stade: «Ça fait viril», «On me trouve plus sympathique». Mais le temps suit son cours inéluctable et le poids de l'irréparable outrage devient plus lourd. Une sensation d'impuissance et de défaite nous conduit à des explications plus Cartésiennes: «C'est héréditaire, les cellules sont programmées; il n'y a rien à faire».

Ces arguments illusoires cachent souvent une blessure secrète et les mécanismes d'autodéfense cèdent à l'occasion la place au doute, au malaise et même parfois à une angoisse redoutable devant la vieillesse et la mort: «On voit mon crâne à travers mes cheveux». On développe rapidement un complexe, «moins de prestance»«moins sûr de moi», et le malaise devient une hantise obsédante: «J'y pense tout le temps, c'est mon plus grand souci».

En guise de conclusion

Mon père était un excellent médecin de famille. Il m'a laissé un héritage pour lequel je lui suis très reconnaissant: «Si tu n'aimes pas profondément chacun de tes patients, tu n'as pas ta place en médecine». Croyez-moi, jamais je ne vois un nouveau patient sans penser à mon père. Or il nous est arrivé souvent de voir en consultation des patients tellement agressifs, tellement désagréables qu'on avait envie de les mettre à la porte en leur donnant la liste de nos compétiteurs. La suite des événements est classique: Une fois que ces patients sont greffés et que les cheveux ont poussé, ils deviennent les gens les plus affables et reconnaissants que nous ayons à traiter. Certains d'entre eux sont devenus de véritables agents de publicité pour nous et nous envoient régulièrement des amis ou des connaissances en consultation. Ils font souvent partie d'un groupe de patients qui aiment arrêter quelques minutes au bureau, parce qu'ils étaient dans le coin, simplement pour nous dire bonjour et nous montrer de nouveau notre oeuvre. Quel travail gratifiant et passionnant que la greffe de cheveux! Je pense ici à mes confrères médecins qui m'ont répété je ne sais combien de fois «que ça doit être ennuyeux de toujours faire la même chose».

En trente ans de carrière, je n'ai jamais vu deux têtes pareilles, deux individus semblables et à chaque fois que je fais une greffe, j'ai toujours plus hâte que mes patients de voir les cheveux pousser. Tous les matins, si incroyable que cela puisse paraître, j'ai une anxiété fébrile d'arriver au travail et suis un peu triste le soir lorsque la journée est finie.

....

Chapitre 4
Les traitements

Traitement de la calvitie

Prévention

En matière de santé, on retrouve classiquement trois grands chapitres:

la prévention,
les méthodes médicales
les méthodes chirurgicales.

Prévention médicale

La calvitie hippocratique étant d'origine génétique, la médecine classique n'a malheureusement pas grand chose à offrir au chapitre de la prévention. Les manipulations génétiques sont encore loin d'envisager une solution dans ce domaine, et si jamais on y arrive, il faudra probablement que vos parents y ait pensé avant votre conception! Comme nous l'avons vu au chapitre des causes de la calvitie, il y a des causes adjuvantes qui peuvent devancer la calvitie génétique. C'est dans le contrôle et le traitement de ces causes que des centres capillaires sérieux peuvent jouer un rôle important et retarder l'apparition de la perte des cheveux: notamment dans des cas de pellicules tenaces et rebelles ou de dermite séborrhéique importante causant des problèmes d'hygiène du cuir chevelu.

Prévention chirurgicale

Dans l'histoire de la médecine on retrouve deux interventions chirurgicales préconisées pour prévenir la chute des cheveux: la ligature des artères temporales et la galéotomie. Elles ne se font plus aujourd'hui, Dieu merci.

La ligature des artères temporales

Il y huit artères principales qui irriguent (nourrissent) le cuir chevelu. On croyait qu'en attachant deux ou quatre de ces artères, on diminuerait l'apport d'hormones mâles au cuir chevelu et ainsi prévenir la calvitie. On s'est rapidement aperçu que c'était bien mal connaitre la vascularisation (l'apport sanguin) du cuir chevelu. En effet, certaines interventions coupent les huit artères sans arrêter la calivitie! Les artères qui nourrissent le cuir chevelu ne sont pas essentielles à sa survie car elles font partie d'un réseau extrêmement puissant de sorte que l'interruption de l'une d'elles est immédiatement compensé par le développement d'un réseau collatéral. La ligature des artères temporales est donc sans effet sur l'évolution de la calvitie. Les nouveaux modes de prélèvement de la micro greffe nous ont du reste confirmé cette assertion; pendant le prélèvement, elles sont souvent ligaturées et cela n'a aucun effet sur la calvitie.

La galéotomie

Cette méthode est plus ancienne. On croyait que la calvitie était secondaire à une tension du cuir chevelu qui s'attache sur la galéa: une enveloppe très solide qui recouvre le crâne. On a cru qu'en sectionnant la galéa, on relâcherait cette tension et préviendrait du même coup la calvitie. Or, cela n'avait rien à voir et cette opération est définitivement sans aucun effet sur la perte des cheveux.

Conclusions

Il n'y a rien à conclure car nous n'avons aucun mode de prévention de la calvitie hippocratique. Cependant on pourrait suggérer d'arrêter de chercher des solutions miracles: on épargnerait du temps et de l'argent.

Traitement médical

Il n'est jamais facile d'établir une relation scientifique de cause à effets en matière de traitement médical. L'histoire de la médecine en est une preuve flagrante. Dans les temps anciens, médecin et sorcier étaient la même personne. La médecine a longtemps été confondue avec la religion et la sorcellerie. Les médecins ont dû déployer de grands efforts pour débarasser la médecine de tout cet empirisme. Il est tellement facile de conclure: «je me suis frappée le sein il y a 10 ans et j'ai maintenant un cancer au sein», «je perdais mes cheveux à la poignée, mais quand j'ai utilisé la lotion de mon voisin, tout a arrêté d'un coup sec». Les choses ne sont pas aussi simples et essayons d'y voir clair.

L'aspect des cheveux

Il faut d'abord différencier l'aspect de la chevelure et la quantité de cheveux. Il y a une pléthore de produits sur le marché qui peuvent améliorer l'apparence de vos cheveux, en augmenter le lustre, les gonfler et les rendre plus souples. Des cheveux lustrés, gonflés et souples couvrent mieux et donnent l'impression agréable d'avoir plus de cheveux. Ces produits sont très valables et quant à avoir une chevelure, pourquoi ne pas l'entretenir et la montrer dans tout son éclat. Attention, le produit du voisin n'est pas forcément celui qui vous convient: il s'agit de réactions chimiques qui peuvent être différentes avec vos cheveux. Il faut bien garder en tête que ces produits agissent sur l'apparence de vos cheveux et non pas sur la quantité.

Les traitements au Laser:

Qui dit Laser dit nouvelle technologie, et quel outil de marketing! Les traitements au Laser ont définitivement une action sur le cuir chevelu: En effet, ils

- contrôlent la sécrétion de sébum et diminuent la dermite séborrhéique.
- augmentent la vitesse de pousse des cheveux.
- augmentent le diamètre des cheveux.

En améliorant ainsi l'apparence de vos cheveux, ils ont un effet non négligeable. A vous de décider si cela vaut le temps et l'argent.

la quantité de cheveux

- ***les potions magiques***

L'autre facteur dont il faut tenir compte est l'histoire naturelle de la calvitie. On a vu en effet au chapitre de l'évolution que la calvitie évolue très souvent par crises successives de durées variables et avec des rémissions aussi variables. Or en crise de calvitie, on s'affole. On en perd de plus en plus et arrivé au sommet de la vague on essaie un produit qui en plus de contrôler la chûte vous promet une repousse: oh miracle! la chûte vertigineuse arrête. Quel merveilleux produit! On continue pendant un certain temps de l'employer, puis on oublie. Quelque temps plus tard, la calvitie reprend de plus belle. On court chez le vendeur pour l'engueuler et il nous répond: «mais tu as arrêté de prendre mon produit». Et le cycle continue. Ce qu'il faut se demander c'est: Que serait-il arrivé si je n'avais utilisé aucun produit? A date, nous ne connaissons aucun produit ou médicament qui peut provoquer l'apparition de nouveaux follicules dans le cuir chevelu. On peut mettre de l'engrais tant qu'on veut dans la terre, s'il n'y a pas de graines dans le sol, il ne se passera pas grand chose. Il y a par contre un produit qui peut stimuler des follicules affaiblis; c'est ce dont nous allons parler.

Le minoxidyl

Pour la première fois, il y a quelques années, une compagnie pharmaceutique digne de confiance a mis sur le marché un produit pour les chauves: le minoxidil (rogaine). Il doit être appliqué religieusement deux fois par jour. Ce produit stimule des follicules fatigués qui, au lieu de produire des cheveux faibles, dévitalisés pourra donner des cheveux normaux pour le temps qui leur reste à vivre. Il est efficace chez un bon pourcentage de patients mais peu pratique d'utilisation et rares sont les patients qui l'utilisent plus d'un an. L'effet du minoxidyl peut être comparé à l'effet d'un coup de fouet sur le dos d'un cheval épuisé. Certes le cheval ira plus vite, mais il ne vivera pas plus vieux pour autant. Dès que vous cessez la stimulation, vous retounez à la case départ.

J'ai vu des gens chauves depuis 20 ans utiliser du rogaine! Tout espoir est permis. Il y a des indications pour le rogaine: les calvities actives ou récentes, encore faut-il qu'il y ait des follicules à stimuler.

Si vous avez le courage de l'utiliser, voici les règles:

Le rogaine est plus efficace lorsque la calvitie est récente.

Aucun résultat avant 4 mois de traitement

40% des utilsateurs ne perçoivent aucun effet.
30% ont une pousse modérée (1% à 3% disent avoir des résultats intéressants).
30% ont une pousse peu significative.
coût approximatif : $700.00 à $1000.00 par année.

Progestérone

Cet hormone femelle en application locale semble retarder l'apparition de la calvitie. Cependant, pour obtenir une repousse de cheveux , il faudrait utiliser des concentrations qui pourraient avoir des effets secondaires indésirables. Beaucoup de médecins pensent qu'elle n'a plus sa place depuis le rogaine.

Retin-A

Ce médicament est souvent employé conjointement avec le rogaine. On croit qu'il augmente la pénétration du rogaine et de ce fait en augmente l'efficacité. Très efficace pour l'acné, son effet sur la calvitie est mis en doute par plusieurs médecins.

Polysorbates (Helsinki)

Voilà un produit qui s'est installé à grand coup de publicité. Une étude médicale sérieuse sur 140 patients, en double aveugle, a démontré clairement que ce médicament n'a aucun effet sur la calvitie. Le produit n'est plus distribué aux États-Unis.

Spironolactone (viprostol), Diazoxide, Nicorandil,Tagamet, Omexin, Cyoctol

Ces médicaments ne sont pas encore approuvés par le «Food and Drug» et sont l'objet de recherches de la part des compagnies pharmaceutiques.

Biotine

Encore un produit imposé par la publicité. Des études sérieuses ont démontré que les shampoings et conditionneurs contenant ce produit, sont absolument sans effet sur la repousse des cheveux chez l'humain; de plus, ils sont onéreux.

Le viviscal

Tout récemment, un nouveau produit a fait son apparition en Finlande, le Viviscal. Mis au point par le professeur Lassus et son équipe, Viviscal se présente sous forme de comprimés, de shampoing et de lotion. Il est utilisé depuis plus d'un an en Finlande et en Suède et depuis quelques mois aux Pays-Bas et en Belgique. Viviscal est un composé de polysaccharides (sorte de sucre) d'origine marine auquel ont été ajoutés du silicone et de la vitamine C.

Viviscal aurait eu des résultats étonnants chez plusieurs chauves et serait très prometteur.

J'ai pris connaissance avec intérêt des expérimentations cliniques du Docteur Lassus. Je pense qu'il faut encore rester prudent quant à l'efficacité et à la durée dans le temps des effets du traitement Viviscal, du moins tant que nous n'aurons pas nous-mêmes constaté les résultats à longue échéance. Il faudrait que d'autres expérimentations soient réalisées par d'autres équipes médicales pour consolider les premières.

Electro-trichogénèse

Nous avons travaillé une année avec ces machines en offrant gratuitement des traitements aux patients pour essayer de déterminer leur valeur. Ce fut une grande déception et une perte de temps inouïe tant pour les patients que pour nous. Leur seul effet a été d'accélérer la pousse des cheveux. Nous avons donné l'appareil à un coiffeur.

....

Chapitre 5
Les traitements chirurgicaux

LES DIVERS TRAITEMENTS CHIRURGICAUX

Il y a déjà plus de 40 ans, le Dr Norman Orentreich, un dermatologue de New York, jetait les bases de la greffe capillaire. Il a démontré que les cheveux de la couronne n'étaient pas sensibles aux hormones mâles et que lorsqu'ils étaient transplantés sur le dessus de la tête, ils conservaient leur caractère originel demeurant à leur place tout aussi longtemps que les cheveux de la couronne d'où ils provenaient. Autrement dit, il ne s'agissait pas d'une question de sol, mais d'une question de plante. De plus, il a constaté que le code génétique des cheveux résidait dans le follicule et non dans la peau avoisinante.

Par la suite, le docteur Orentreich a fait développer les outils nécessaires à la transplantation capillaire et prouvé que la technique donnait de bons résultats dans les cas de calvitie hippocratique. La macrogreffe capillaire naissait. Puis, plusieurs autres techniques ont vu le jour; d'abord celles d'appoint telle la réduction tonsurale avec toutes ses variantes.

Ensuite on a vu les lambeaux et finalement la microgreffe. Cette dernière amena la greffe capillaire à son apogée. En effet, la microtransplantation nous permet aujourd'hui d'obtenir des résultats quasi indécelables même à un examen minutieux. C'est ce qui explique qu'elle est devenue la chirurgie esthétique la plus utilisée par la gent masculine. À cet effet permettez-moi de vous raconter une anecdote.

Deux artistes québécois que nous avions greffés dans l'anonymat le plus complet se rencontrent au cours d'une fête. Absolument personne n'est au courant de leur greffe. Or, ils s'examinent mutuellement la tête, et pour se taquiner se font réciproquement le commentaire suivant: « Tu commences à perdre tes cheveux, mon vieux, je connais un bon médecin qui pourrait t'arranger cela.» Chacun d'eux m'a raconté en riant la même anecdote et aucun des deux ne s'était aperçu que l'autre avait une greffe capillaire. Ils avaient passé le test ultime!

La macrogreffe

Les instruments originels développés par le Dr Orentreich nous permettaient de prélever dans la couronne des greffons de quatre mm de diamètre et de les transplanter dans la portion chauve du cuir chevelu dans des orifices de 3.5 mm. Dans cette technique, dite du poinçon, les greffons étaient prélevés et posés en quinconce, c'est-à-dire par groupe de 5 greffons: 1 à chaque extrémité d'un carré et un autre au centre. On devait donc raser une grande partie de la zone donneuse pour prélever un nombre raisonnable de greffons, ce qui rendait la zone donneuse très apparente après l'intervention. Les difficultés se rencontraient à tous les niveaux: prélèvement, implantations et résultats finaux. Si le prélèvement n'était fait parfaitement dans l'axe des racines, il y avait perte de follicules au cours de l'intervention. L'implantation aussi était critique tant dans la direction que dans l'espacement. Toute imperfection dans la macrogreffe tant dans la sélection des candidats que dans son exécution entraînait des résultats souvent bien peu esthétiques.

On aboutissait à un aspect en «cheveux de poupée» ou en «champ de maïs» tout à fait détestable. Ces demis échecs donnèrent bien mauvaise presse à la greffe de cheveux et, encore aujourd'hui, des préjugés demeurent.

Comme les patients étaient facturés au greffon, pour lui sauver temps et argent, on essayait de faire les plus gros greffons possibles et on en a vu apparaître des 5 mm, des greffons carrés etc. Nous nous dirigions dans la mauvaise direction et, au contraire, il fallait faire des greffons le plus petits possibles.

Il y avait forcément un gros pansement après l'intervention. Plusieurs patients nous disaient à l'époque que le pansement était plus ennuyeux que l'intervention même. De plus, comme il fallait de 3 à 4 séances pour réaliser une tête convenable, si par malheur le patient ne complétait pas son traitement, l'apparence qu'il avait vous faisait toute une publicité gratuite! L'aspect en «cheveux de poupée» était alors accentué par les espaces laissés vides.

Nous avons par la suite développé à notre clinique la méthode de prélèvement «groupé». Elle consistait à prélever tous les greffons au même endroit et à refermer chirurgicalement la plaie. Cette technique nous a permis de nous débarrasser du fameux pansement.

Elle demeura longtemps la seule méthode disponible. Pratiquée selon les règles de l'art, elle donnait des résultats acceptables sans complications particulières.

La réduction tonsurale

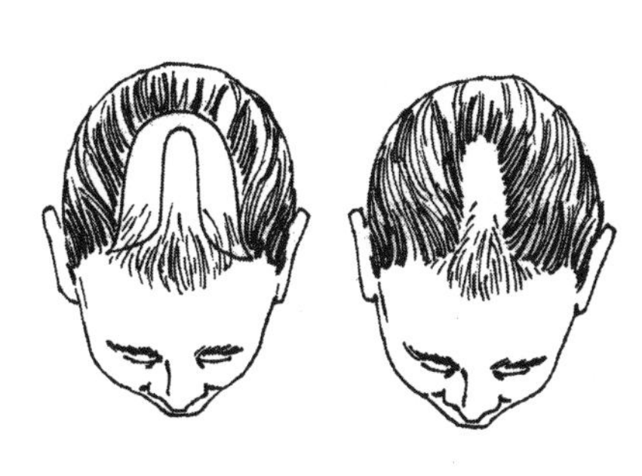

Les pionniers de cette technique sont deux médecins chirurgiens montréalais : les frères Blanchard. Cette technique a joui il y a quelques années d'une grande popularité. Le principe d'une réduction tonsurale est d'enlever chirurgicalement une partie du cuir chevelu chauve. L'intervention, sous anesthésie locale, permet d'enlever l'espace chauve. L'élasticité du cuir chevelu fait le reste. Tout comme eux, nous avons pratiqué plusieurs de ces interventions en clinique. Les résultats immédiats sont souvent spectaculaires et gratifiants pour le patient. Le plus souvent, des greffes de cheveux complétaient le traitement. Il s'agissait donc d'une technique d'appoint dans la plupart des cas. La relation de surface entre zone donneuse et zone receveuse constituait le critère de sélection d'un candidat. Si la surface receveuse (à greffer) était trop grande pour la zone donneuse, on devait s'abstenir de greffer.

Les Américains ont ensuite modifié la technique de base et lui donné le nom de «hair lift», car il s'agit bien d'un véritable «lifting» du cuir chevelu. Les résultats obtenus sont nettement plus intéressants du point de vue esthétique.

Par contre, en France, on adopta la technique dite «réduction géante» parfois combinée à des lambeaux. Il s'agit d'une intervention majeure, sous anesthésie générale, dont les résultats par trop aléatoires ne justifient pas le haut pourcentage de complications. De plus, le résultat final donne souvent l'allure d'une personne qui aurait eu deux «face lift» en trop...

Discussion:

Le principe de rétablir les proportions entre surface donneuse et surface receveuse était excellent mais il oubliait la notion de capital cheveux. La réduction tonsurale étire la zone donneuse: c'est une autre forme de prélèvement. On diminue donc ainsi la densité (nombre de cheveux au centimètre carré) et les greffons de la zone donneuse sont plus pauvres par la suite.

Au chapitre de la «gestion du capital cheveux», on a vu qu'il y a un nombre fixe de cheveux dont on dispose pour couvrir une surface dont les dimensions finales ne sont pas connues. Si cette quantité de cheveux est jugée insuffisante pour obtenir un résultat cosmétique acceptable à long terme, cette réduction ne modifie en rien les données.

Avantages

Résultats immédiats.

Intervention rapide et moins coûteuse qu'une microgreffe.

Convalescence courte.

Peu ou pas de complications (sauf réductions géantes).

Désavantages

Mauvaise orientation des cheveux. (schéma). Difficiles à coiffer tant sur le dessus que sur la tonsure.

N'élimine pas la nécessité de microgreffe. C'est en effet une technique d'appoint.

Recul de la ligne temporale. Regardez l'effet de traction vers le haut de votre cuir chevelu et notez le recul de votre ligne temporale. Or beaucoup de patients sont très ennuyés par le recul de cette ligne, la réduction tonsurale la recule davantage.

Les douleurs post opératoires sont souvent très importantes.

Les cicatrices, même si elles sont «belles» sont souvent visibles étant donné leur position et leur direction.

Il y a un étirement du cuir chevelu ce qui a pour effet de l'amincir. Cet amincissement a un double effet indésirable sur le cuir chevelu:

- étant plus mince, ceci compromet la survie des microgreffes subséquentes:
- il devient plus luisant, ce qui accentue l'ef-

fet de calvitie.
Les résultats ne sont pas toujours permanents. Plusieurs chirurgiens croient que plus de trente pour cent des cas subissent un étirement dans les années qui suivent (de la même façon qu'un face lift est souvent à recommencer après 5 ans).

Conclusions:

Après avoir joui d'une énorme popularité, cette opération est ensuite tombée en désuétude et ne se pratique plus que par un petit nombre de chirurgiens. A notre avis, d'ici quelques années, elle fera partie de l'histoire ancienne. L'avènement de la microgreffe, en ce qui nous concerne, ne justifie plus l'emploi d'une telle procédure.

Les lambeaux

Les greffons sont des greffes «libres». Ils sont sortis de l'organisme puis réimplantés. Le greffon lui même est donc coupé de toute circulation sanguine. Il survit en se nourrissant par osmose c.a.d. par voisinage. Cela explique pourquoi dans un greffon le cheveu lui même est mort; c'est le follicule qui survit. On comprend alors qu'il faille attendre trois mois après l'intervention pour voir apparaître un nouveau cheveu et six mois pour avoir des cheveux aptes à la coiffure.

Les lambeaux sont des greffes pédiculées; une partie du cuir chevelu de la couronne est soulevée et déplacée vers la zone chauve tout en demeurant attachée au cuir chevelu par un pédicule (comme une plante que l'on déplacerait de quelques centimètres sans briser toutes les racines). Il n'y a donc pas d'interruption du flot sanguin, les résultats sont donc immédiats puisque les cheveux ne tombent pas.

C'est le Dr Juri, un argentin qui a mis au point cette technique. À l'origine, on faisait un grand lambeau en trois interventions. On a ensuite développé des petits lambeaux en trois temps puis en un seul temps mais le principe de base était toujours le même.

Avantages

Les patients jouissaient de leurs cheveux immédiatement après l'intervention au lieu de devoir attendre 6 mois.
La ligne frontale était opaque et très dense, presque toute la zone donneuse y ayant été transférée!

Désavantages

Cette chirurgie majeure entraîne un pourcentage de complications sérieuses relativement élevé (zones d'alopécie dans la partie donneuse, mort du lambeau, ptose de la paupière[1] etc.). De plus, certaines de ces complications sont difficiles à réparer sinon irréparables.

Elle n'assure aucun contrôle sur la direction de la pousse des cheveux. Une fois à sa place, la direction de la pousse se retrouve à 180 degrés de sa position naturelle: ce qui rend les cheveux difficiles à coiffer.

Si la calvitie continue à évoluer, elle ne permet que rarement des greffes subséquentes car presque toute la zone donneuse a été utilisée. La technique manque donc de souplesse et rend la gestion du capital cheveux très difficile.

Elle laisse un grand nombre de cicatrices visibles dans la zone donneuse.

Elle constitue une chirurgie majeure réalisable seulement en milieu hospitalier entraînant ainsi des frais plus élevés.

Les lambeaux:

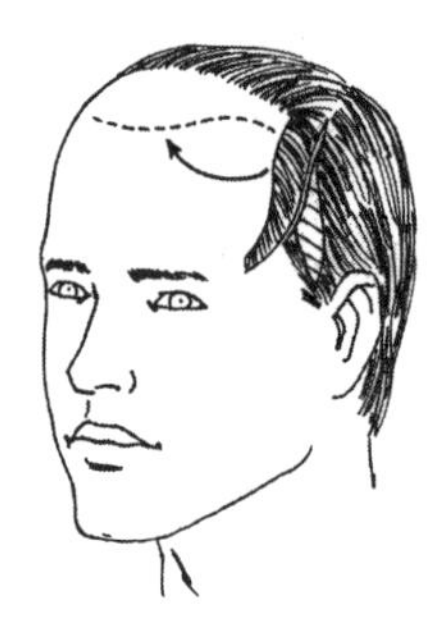

Le lambeau est une greffe pédiculée. Il demeure attaché au cuir chevelu en tout temps (contrairement aux greffes). Dans un premier temps, le lambeau est soulevé sur son pédicule de rotation ici situé dans la région temporale.

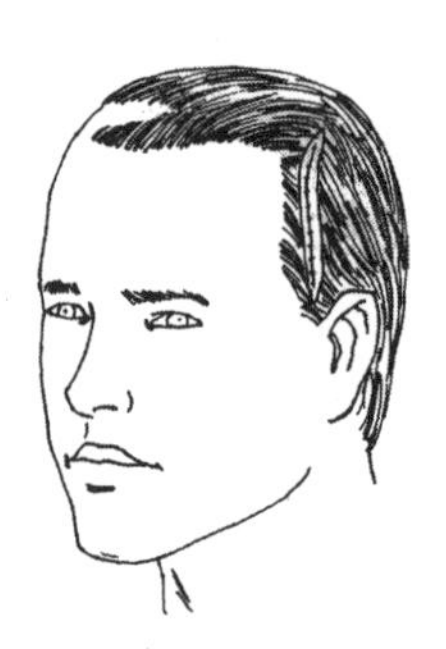

La zone de prélèvement est refermée et le lambeau pivote vers son nouvel emplacement frontal.

Il est suturé en place.

Conclusions

Tout comme la macrogreffe et la réduction tonsurale, la technique des lambeaux a connu son heure de gloire que ses désavantages inhérents ont rendue éphémère.

Comparativement à la microgreffe que nous pratiquons de nos jours, ces techniques font l'effet de dinosaures. Par contre, ces étapes qui ont constitué les premiers pas dans la greffe de cheveux ont laissé des préjugés qui persistent toujours dans la population. Il faut dire que régulièrement ceux-ci sont ravivés par une émission de télévision qui va tourner chez un praticien peu ou mal expérimenté chez qui les bains de sang font partie du traitement!

La microgreffe

Au coeur de la dernière décennie, l'apparition de nouveaux instruments chirurgicaux nous a enfin permis de greffer des cheveux un à un. La microgreffe naissait.

Cette technique, plus difficile d'exécution par le chirurgien, offre par contre beaucoup plus au patient. Elle permet d'utiliser au maximum le potentiel du capital cheveu tout en obtenant des résultats esthétiques si près de la réalité que les patients sont fiers de nous annoncer:
«Docteur, je suis allé chez le coiffeur et il n'a même pas vu ma greffe.» Dans les prochains chapitres nous traiterons de la microgreffe en détail car nous croyons vraiment que celle-ci va reléguer aux oubliettes toutes les autres méthodes.

Examinons pour l'instant un à un les reliquats des anciennes techniques: Ça fait mal, ça saigne et c'est laid...

La douleur

L'anesthésie locale administrée avec un pistolet gicleur (donc finies les aiguilles douloureuses) demeure la seule phase où le patient peut sentir quelque chose. Il s'agit d'une expérience encore moins désagréable qu'une visite chez le dentiste. Cette comparaison me vient d'ailleurs de mes patients. Pendant l'opération même, on ne ressent aucune douleur. Il nous arrive souvent de voir des patients s'endormir sur leur fauteuil pendant l'intervention à un point tel qu'ils ne se souviennent pas du titre du film qu'ils ont visionné durant ce temps!

A la fin de l'opération, au moment du dégel, on peut éprouver une sensation désagréable traitée sur place qui dure de 30 à 45 minutes. On palie à ceci en prescrivant des analgésiques après l'intervention. Plus de 80% des patients ne les prennent même pas.

Le saignement

Comme nous l'avons déjà souligné, cet autre mythe tenace a largement été diffusé par une télévision amateure de sensations fortes. Il n'en demeure pas moins qu'exécutée selon les règles de l'art, une microgreffe saigne moins qu'une extraction dentaire.

Les résultats

La microgreffe donne des résultats d'aspect beaucoup plus naturel que les greffes traditionnelles (macrogreffe, réductions tonsurales ou lambeaux). Ces dernières conféraient un bon volume mais donnaient un effet de *cheveux de poupée* indésirable et des résultats peu esthétiques. De plus, pour peu que le patient ait les cheveux trempés ou décoiffés, ces greffes devenaient apparentes.

En microgreffe, on perd légèrement en volume mais on gagne beaucoup en apparence. Les patients n'ont plus à se soucier que leur greffe soit apparente même s'ils sont décoiffés ou s'ils sortent de la piscine.

Pour terminer, rappelons que la microgreffe offre une gestion optimale du capital cheveux ce qui permet des retouches ultérieures autrefois impensables. Donc non seulement les résultats sont esthétiques et naturels mais on peut intervenir plus longtemps.

....

[1] Paupières tombantes

Chapitre 6
La sélection des candidats

LA SÉLECTION DES CANDIDATS

Les bons candidats ont de bons résultats

En guise d'entrée en matière

Voici un exemple que j'aime bien raconter à mes patients dès leur première rencontre. On peut comparer la greffe de cheveux à une personne qui désirerait tricoter un chandail. Le tricot consiste à prendre un brin de laine et le tisser de sorte à créer un nouvel arrangement. La greffe consiste à prélever des cheveux à un endroit plus fourni de la tête pour les redistribuer à des endroits plus clairsemés. Il s'agit donc de deux types de réarrangements. Par contre, il existe une différence capitale entre les deux techniques. Dans le cas du tricot, si, en cours de fabrication, je manque de laine, je peux toujours aller en chercher d'autre au magasin. Dans le cas de la greffe de cheveux, ma quantité de matière première est limitée par

Photos: Avant **après 4 séances de microgreffe**

celle que j'avais au départ. Il ne peut être question de manquer de «laine» ici...

Zone donneuse et zone receveuse

Quand elle est reliée à un phénomène hormonal et héréditaire, la calvitie se situera toujours au même endroit: le dessus de la tête qui selon l'importance de la calvitie sera de complètement dégarni à clairsemé à certains sites: la région de la tonsure et la région frontale. Ces régions chauves seront les *zones receveuses.* Habituellement, ces endroits auront tendance à se dégarnir de plus en plus jusqu'à l'âge de la cinquantaine. Comme nous l'avons vu dans le chapitre sur l'anatomie, les follicules présents à ces endroits sont sensibles aux hormones. Cette calvitie est héréditaire. Donc en observant votre père ou un oncle maternel[1] vous pourrez avoir une bonne idée de votre calvitie à un âge plus avancé.

La zone donneuse se situe dans ce qu'on appelle: *la couronne d'Hippocrate.* Les follicules pileux présents dans cette zone ne sont pas sensibles aux hormones. Ils peuvent donc être greffés de façon permanente dans la zone receveuse. La grande question est alors: la zone donneuse contient-elle suffisamment de cheveux pour regarnir la zone receveuse, sans que cela nuise à sa propre apparence? Plusieurs critères doivent être considérés pour y apporter une réponse valable.

L'âge

Supposons un patient dans la jeune vingtaine qui présente une légère calvitie frontale et tonsurale. Actuellement sa zone donneuse est largement suffisante pour palier à la situation. Il faut cependant prévoir quelle sera sa zone donneuse à l'âge de quarante ans avant de procéder ou non à une greffe. En effet, si nous procédons immédiatement à une greffe sans s'inquiéter du futur, nous pourrions effectivement regarnir le front et la tonsure. Mais si la zone donneuse perd, durant les quinze ou vingt prochaines années la plupart de ses cheveux et que nous nous retrouvons à l'âge de cinquante ans avec une couronne d'à peine un centimètre, nous ne disposerons alors plus suffisamment de cheveux pour regarnir la zone receveuse et l'esthétique de notre patient en souffrira grandement!

Il faut donc tenir compte de la surface actuelle à couvrir, et de celle qu'il faudra éventuellement regarnir plus tard. Il ne faut jamais oublier que le follicule greffé conserve sa mémoire héréditaire.

De plus, si nous avons greffé un follicule qui était programmé par l'hérédité pour tomber à quarante ans, il tombera à quarante ans, quelque soit l'endroit où il a été greffé. C'est pourquoi, prévoir la situation de la calvitie est si important.

Plus le patient est jeune, plus le chirurgien doit user de discernement. Personnellement je ne touche pas aux patients de moins de 25 ans. Il est trop difficile de prévoir leur calvitie future à cet âge. Je leur suggère de revenir chaque année pour un examen de suivi. Je peux ainsi voir vers quoi ils se dirigent avant d'intervenir. Au cours de ma pratique, j'ai trop souvent reçu des patients de quarante ans pour qui je ne pouvais plus rien faire parce qu'ils avaient été greffés trop jeunes par d'autres qui n'avaient pas vu bien loin...

La fameuse ligne frontale

Souvent les patients m'arrivent avec une photo d'eux-mêmes dans la vingtaine et me demandent de leur greffer des cheveux en accord avec cette ligne. Le dessin de la ligne frontale est de la plus haute importance. Il est donc nécessaire de s'entendre avec le patient avant de commencer quoique ce soit.

Généralement le patient ignore que, entre 25 et 30 ans, les os du front évoluent et se modifient pour former les golfes frontaux qui élargissent le front, faisant ainsi naturellement remonter la ligne frontale de cheveux. Il est essentiel de respecter ces nouvelles proportions naturelles du visage.

Quoiqu'il en soit, il est toujours préférable de prévoir une ligne frontale trop haute, qu'il sera possible d'abaisser par la suite qu'une ligne frontale trop basse, impossible à modifier. Je dis souvent aux patients que dans le domaine de la greffe, plus n'est pas toujours mieux.

La santé

Tout problème de santé doit être réglé avant de songer à une microtransplantation. Il faut se rappeler qu'une greffe ne représente jamais une urgence médicale. Il est donc important que le patient soit en santé avant de procéder.

Des patients souffrant d'anémie, de maladies rénales ou autres doivent d'abord régler ces problèmes avant de penser à une intervention cosmétique. C'est pourquoi du reste nous demandons des test de laboratoire de dépistage avant de procéder. Toutes les maladies débilitantes sont des contrindications absolues.

Les problèmes psychologiques

Certains états psychologiques ne favorisent pas la prise de décision. Car une décision prise sous le coup d'une émotion, d'un choc psychologique peut être regrettée par la suite. J'interroge toujours mes patients avant d'accepter de les greffer afin de connaître leur condition psychologique. Vient-il de divorcer? Comment va sa vie professionnelle? A-t-il subi un deuil récemment? etc. Si j'ai quelque doute sur un état dépressif, je préfère demander au patient de retarder sa décision.

Quand, suite à un divorce, on décide de changer complètement sa garde-robe, le seul impact réel se situe au niveau financier. Si par contre, on décide de changer son image corporelle, on devra vivre ensuite avec ce nouvel aspect. Il vaut donc mieux attendre avant de prendre une telle décision plutôt que d'avoir à le regretter longtemps par la suite.

La motivation:

Fondamentalement, on pourrait dire qu'il existe trois types de motivation qui poussent les gens à désirer une greffe de cheveux: la motivation professionnelle, la motivation personnelle et la motivation sociale.

Lorsqu'un patient me présente une motivation personnelle ou professionnelle, je ne rencontre jamais de problème. Si on décide de se faire greffer pour retrouver ses vrais cheveux ou pour s'accorder un plaisir personnel, on risque bien peu de regretter sa décision. La même situation s'applique lorsque la décision est prise en fonction d'une carrière comme chez les acteurs, comédiens, chanteurs, relations publiques où l'image corporelle doit demeurer assez constante pour les besoins du métiers.

Par contre, si la motivation est de faire plaisir à notre entourage, compagnes ou compagnons, il faut évaluer la situation. Souvent ce comportement est relié à des personnes qui sont prêtes à donner beaucoup pour leur entourage immédiat et qui s'attendent à recevoir aussi beaucoup en retour. Si la réaction de leurs proches après la greffe ne répond pas à leurs attentes, ils seront déçus d'avoir investi autant d'énergie et peuvent regretter leur décision. Ils ne sont donc pas des candidats idéaux.

Provisoirement refusés

Toutes les situations que nous venons de décrire sont celles des patients que nous refusons provisoirement. Dans ces cas, nous leur demandons de retarder leur décision afin de s'assurer que les situations aient eu le temps de se modifier. C'en est ainsi de l'âge, qui évidemment va changer, de l'état de santé, des états psychologiques et des facteurs de motivation qui pourront évoluer avec le temps. La grande maxime pour ceux qui sont provisoirement refusés est qu'il vaut mieux s'accorder tout le temps nécessaire pour prendre une bonne décision que d'avoir à regretter longtemps une décision trop hâtive. ***Il n'y a jamais d'urgence à procéder à une microtransplantation.***

Autres facteurs

La forme et la couleur du cheveu doivent aussi être considérés. Pour certains ceci peut représenter un avantage. Les cheveux naturellement frisés ou ondulés couvrent relativement plus de surface que les cheveux fins et droits. Donc avec la même quantité de cheveux prélevés de la zone donneuse, on peut regarnir une plus grande surface avec ceux-ci.

La couleur du cheveu a aussi son influence. Les cheveux pâles, blonds ou blancs, sont excellents pour la microtransplantation car ils réfléchissent beaucoup la lumière et donnent ainsi visuellement *l'impression* de couvrir davantage. De plus ils offrent moins de contraste avec le cuir chevelu qui est ainsi mieux camouflé. Les cheveux noirs, quant à eux, sont plus exigeants car ils absorbent la lumière et forment un contraste plus frappants avec la couleur pâle du cuir chevelu.

Les refus définitifs

Ne peuvent malheureusement pas être retenus: les patients dont la zone donneuse est si faible que le moindre prélèvement laisserait un endroit dénudé, ou encore ceux dont la surface à couvrir est tellement étendue que la zone donneuse ne pourrait fournir la quantité de cheveux nécessaire sans être affectée.

En conclusion

Il y a, au moment d'écrire ce livre, une trentaine d'années que je pratique des greffes de cheveux et, dans le doute, j'aime encore mieux refuser un bon candidat que d'accepter un mauvais candidat. Nous l'avons souvent souligné dans ce chapitre, il faut prendre tout son temps avant de s'engager dans une microgreffe de cheveux.

Tant pour le patient bien informé et, en bout de ligne, heureux de son choix que pour le chirurgien, la microgreffe est une source de grande satisfaction. Être bien dans sa peau constitue un objectif que je partage pleinement avec mes patients.

....

[1] le gène peut, en effet, être transmis par la mère qui elle ne souffre pas de la calvitie parce qu'elle n'a pas de fortes concentrations de testostérone. Mais si ce gène est présent dans sa famille, il y a de fortes chances que ses frères en soient aussi porteurs.

Chapitre 7
Choisir son chirurgien

Choix du chirurgien

Un jour, un automobiliste présente sa voiture dans un garage pour une réparation. Depuis peu, le moteur de l'automobile laisse entendre un clapotis inquiétant. Le garagiste lui annonce qu'il faudra ouvrir le moteur pour trouver le problème; coût estimé $850.00. Notre homme décide alors de consulter un autre garagiste. Après un bref examen, ce dernier découvre que la poulie de la courroie de l'alternateur est défectueuse et est responsable de ce bruit suspect; réparation terminée: $65.00! Chacun connait l'importance de trouver un "bon" mécanicien pour son automobile et n'hésite pas un seul instant à lui poser toutes les questions qu'il faut pour s'assurer de sa compétence.

Lorsqu'il s'agit de choisir un médecin, la plupart des gens n'osent pas poser de questions, s'informent généralement très peu et espèrent «tomber» sur un bon médecin... La greffe de cheveux ne fait malheureusement pas exception à cette règle. Comment choisir un chirurgien pour une greffe de cheveux? Peut-on vraiment s'en remettre au hasard? D'autant plus que les résultats sont permanents. C'est formidable si on est "tombé" sur un bon chirurgien et qu'on a une belle greffe. Mais si les résultats laissent à désirer? Tout aussi permanents, ces résultats seront très difficiles à corriger si la greffe est mal commencée. Quels sont les critères, quelles sont les questions à poser?

Chirurgiens spécialistes ou médecins

Il y a beaucoup de confusion dans le public sur la notion de médecin spécialiste. La greffe de cheveux n'est pas une spécialité reconnue par le Collège des médecins. Le domaine n'est pas assez vaste pour ce faire. Alors qui a le droit de faire des greffes? Tous les médecins ont théoriquement le droit de faire une greffe de cheveux. On doit réaliser que la greffe capillaire est un acte chirurgical; pour faire de la plomberie on demande un plombier. Pour faire de la chirurgie, on devrait demander un chirurgien. Comment savoir? Pour avoir une réponse claire, il faut demander une question précise. «Êtes-vous un chirurgien spécialiste?» et non pas «faites-vous de la chirurgie». La réponse devrait être un simple «oui» ou «non».

Expérience du chirurgien

Là ne s'arrête pas votre investigation. Où le chirurgien s'est il entraîné, avec qui, pendant combien de temps. Depuis combien d'années fait-il de la greffe? Il ne faut pas se gêner pour poser ces questions. Si votre chirurgien est compétent et qualifié, celles-ci ne devraient pas l'embêter, et il les trouvera tout à fait normales. Savez-vous que sur mille patients qui viennent en consultation, un seul osera poser ces questions!

Il ne manque pas de cliniques où les consultations sont faites par des techniciens. Personnellement, j'aimerais bien voir mon chirurgien avant une chirurgie quelconque. C'est lui qui doit répondre des résultats.

Me fera-t-il les mêmes promesses que le technicien.

M'a-t-il avisé des complications et effets secondaires de la chirurgie.

Ses statistiques sont basées sur combien de cas? «Nous n'avons eu qu'une seule infection». Oui, mais on a opéré qu'un seul patient! Cela fait 100%.

Des photographies

Une image vaut mille mots. Si votre chirurgien a de l'expérience, il a sûrement des photos à vous montrer. Méfiez-vous de ceux qui vous disent ne pas en avoir par "souci" de confidentialité. Dans une pratique courante, si vos patients sont fiers de leur greffe, environ 40% acceptent que leurs photos soient utilisées pour fin de consultation; la plupart iront jusqu'à l'offrir avant même qu'on leur demande. Mais il y a photos et photos. Qu'est ce qu'on doit y chercher?

On devrait regarder au moins une douzaine de photos claires et de bonne définition. Certaines de ces celles-ci devraient présenter des cas similaires au vôtre.

Dans tous les cas on devrait se poser les questions suivantes:

S'agit il d'un cas similaire?
Voit-on la ligne frontale et les détails?
Est ce la même personne sur la photo avant et après (eh oui!)?
Les photos sont-elles prises dans le même angle et à la même distance?

Des cliniques

Les locaux

L'apparence et la propreté de la clinique sont le reflet du chirurgien. Visitez les salles d'opération. Sont-elles immaculées? Sont-elles stérilisées entre chaque patient? Y a-t-il des lavabos chirurgicaux (lavabos dont le contrôle est au pied et non manuel) dans chaque salle? Comment est l'éclairage; seriez-vous capable d'effectuer un travail de haute précision comme la microchirurgie sous un tel éclairage? Le fauteuil du patient est-il confortable? Vous serez assis un minimum de trois heures sur cette chaise!

Le personnel

Le personnel est-il poli et courtois? Les assistantes sont-elles des infirmières diplômées. Leur tenue vestimentaire est elle impeccable.

Tous ces détails peuvent vous donner un reflet de la qualité des soins que vous êtes en droit d'exiger.

Des prix

Du temps de la macrogreffe, les traitements se faisaient en trois ou quatre séances de 50 à 100 greffons par séance. Le prix de la séance était basé sur le nombre de greffons. Les tarifs oscillaient entre $12.00 et $25.00 du greffon. Avec la microgreffe, les traitements se font en deux, parfois trois séances, et le nombre de microgreffons varie de 250 à 800 par séance. Même si cela requiert plus de temps à exécuter, il est évident que le prix devait être réajusté si on voulait garder cette chirurgie abordable.

De plus en plus, certaines cliniques offrent un prix fixe à la séance basé sur la surface à couvrir. Cela vous met à l'abri des fluctuations selon le nombre de greffons et permet en général quelques économies. Les tarifs pour une séance peuvent varier selon les cliniques et selon la surface à couvrir entre $1 200.00 et $3,000.00. Pour comparer les prix, il faut plutôt compter le prix par cheveux et non pas au nombre de greffons.

Des programmes

Le programme que l'on vous établit doit être réaliste à court et long terme. Il ne faut pas oublier les deux principes de base:

1: la calvitie peut évoluer sérieusement jusqu'à 50 ans; après quoi elle évolue plus lentement

2: la quantité de cheveux disponibles est déterminée par ce qui vous restera à cet âge.

Le programme doit vous informer du genre de volume que l'on désire obtenir, léger moyen ou dense. Pour bien comprendre, un volume moyen laisse apparaître le cuir chevelu par endroit. Un volume dense, restauration d'environ 50% du volume original, masque le cuir chevelu. Plus on est jeune, plus on doit garder de la zone donneuse en réserve. Vaut mieux avoir un volume moyen sur une plus grande surface qu'un fort volume localisé, parfois difficile à coiffer. Il sera toujours temps de procéder à un volume dense si le malheur ne vous frappe pas. Deux endroits où l'on peut économiser des cheveux si on est à court: la hauteur de la ligne frontale et la tonsure. Chez les jeunes, la tonsure fait souvent partie d'un programme ultérieur. C'est souvent à cet endroit que la dernière poussée de calvitie apparaît; rien de plus laid qu'une tonsure à moitié greffée qu'on ne peut pas terminer parce que la zone donneuse est épuisée. En cas de doute, s'abstenir et attendre les événements.

Combien de cheveux devrait-on vous greffer? Il s'agit d'une question difficile. Grand principe: vaut mieux être trop conservateur que trop agressif. Un peu d'arithmétique nous aidera peut être à mieux visualiser le problème.

On parle beaucoup dans les livres de têtes à 100,000 cheveux. Je pense que ce sont des têtes exceptionnelles et que la moyenne des Nords Américains doivent avoir environ 50,000 cheveux; on doit augmenter considérablement ce chiffre pour les Méditerranéens. Ces cheveux sont répartis sur une surface d'environ 150 pouces carrés avec une densité plus grande dans la couronne que sur le vertex. Un simple calcul nous montre qu'il y a environ 400 cheveux au pouce carré. Or le but de l'intervention est de restaurer de 25 à 50% ce volume selon le programme établi.

Si vous avez une calvitie de 16 pouces carrés, il vous faudra environ 3000 cheveux pour obtenir une bonne couverture. Méfiez vous alors de celui qui prétend régler votre problème avec deux séances de 100 microgreffons qui vous donnera probablement environ 200 cheveux. Par contre, n'oubliez pas que ce n'est pas une formule mathématique qui recouvre le crâne, mais des cheveux qui n'ont pas tous le même potentiel de couverture et n'obéissent pas aveuglément aux règles. En d'autres mots, le même nombre de cheveux greffés sur deux têtes chauves à des degrés identiques ne donne pas la même couverture visuelle.

Ainsi, les cheveux ondulés ou frisés couvrent plus de surface que les cheveux fins et droits. Les cheveux de couleurs pâles, blonds ou blancs sont excellents pour la microtransplantation car ils réfléchissent plus la lumière et donnent visuellement l'impression de couvrir davantage, tout en étant moins contrastés par rapport au cuir chevelu. Les cheveux noirs sont, à cet égard, plus exigeants.

Patience et

longueur de temps font plus que force ni que rage, disait le célèbre fabuliste Jean de Lafontaine. Cette maxime convient très bien à vous qui désirez une greffe de cheveux. Prendre d'abord le temps de choisir un bon chirurgien pourra vous épargner bien des rages plus tard... On fait dix-huit magasins avant d'établir notre choix sur un téléviseur, avant d'effectuer un voyage, on consulte quinze agences et on s'informe en détail sur chacune d'elles, ou encore on effectue une enquête approfondie de crédit sur un nouveau locataire, alors pourquoi, quand il est question de sa santé et de son apparence, se fierait-on au premier venu ou encore à celui dont on a vu une publicité télévisée? Il vaut bien mieux prendre son temps, mûrir sa décision et s'informer à fond.

Personnellement, j'aime mieux un patient informé, je sais alors que je suis en face d'une personne responsable, avertie, qui est en mesure de prendre une bonne décision.

Photos:

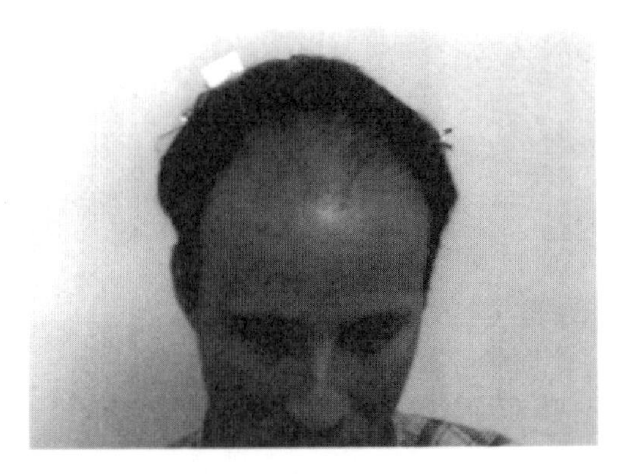

avant

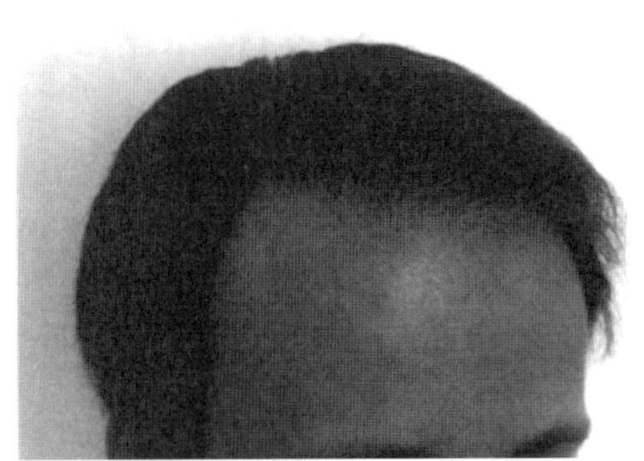

après 3 séances de microtransplantation

Chapitre 8
La consultation

La consultation

Une étape clé:

La consultation avec un spécialiste de la greffe de cheveu constitue l'étape clé de votre décision. En effet, c'est ici que vous pourrez obtenir le plus d'informations sur la faisabilité ou non de cette intervention et surtout avoir une bonne idée des résultats potentiels. Mis à part les restrictions d'ordre physique dont nous avons déjà parlé précédemment, le spécialiste vous posera de nombreuses questions qui auront pour objet d'évaluer votre motivation. Des réponses claires et honnêtes à ces questions pourront vous éviter bien des déceptions.

Motivation et évaluation

Au cours d'une émission de Claire Lamarche, dont le thème était «Je suis chauve et je m'en fiche», chacun des invités témoignait que leur calvitie ne les agaçait pas et qu'ils s'acceptaient tels qu'ils étaient. Or, paradoxalement, à la question «Qu'avez-vous fait pour contrer votre calvitie», chacun des invités énumérait les solutions miracles ou tout autre forme de traitements inimaginables qu'ils avaient essayés. Il aurait été probablement plus juste de dire qu'ils avaient abdiqué devant leur calvitie. Je n'ai jamais connu un chauve qui était heureux de l'être. Qu'est ce qui nous pousse donc à chercher une solution à ce problème?

Considérations esthétiques

L'origine même de la calvitie peut influencer. Ainsi, les patients souffrant de calvitie résultant de maladies du cuir chevelu ou suite à des accidents (brûlures, cicatrices par ex.) démontrent une motivation particulière. Ils désirent restaurer leur apparence originelle ou encore ne veulent plus attirer l'attention de leur entourage sur leur alopécie.

Raisons professionnelles

Dans le cas des comédiens, des chanteurs et des hommes publics, la motivation peut être d'ordre professionnel: conserver leur image est un outil essentiel à leur gagne pain. Cette motivation, décelée pendant une consultation, en cache souvent d'autres. Pendant la chirurgie, alors qu'il s'établit une relation plus intime, on entend bien des confidences et on y décèle une double motivation. Des raisons d'ordre personnel tout aussi fortes que la motivation professionnelle les ont, en effet, amenés à désirer une greffe.

Cas spéciaux

Il y a certes des cas spéciaux: les patients qui ont un dessin de ligne frontale qui ne correspond pas à leur sexe. C'est dans cette catégorie que se retrouvent les transsexuels, les femmes qui après un «face-lift» ont un «front rond» ou un front fuyant ou encore une cicatrice sur la ligne frontale qui limite leurs possibilités de coiffure. Il est possible dans ces cas de reconstruire une ligne frontale.

Vanité ou être bien dans sa peau

Ceux qui cherchent une solution à leur calvitie sont-ils plus vaniteux que les autres? Je ne crois pas. Plusieurs patients se sentent humiliés, diminués de consulter en greffe de cheveux. Je crois qu'il est important de remettre les choses à leur place.

L'homme, comme tous les animaux, est conscient de l'image qu'il projette. Pensez aux changements de comportements des animaux qui perdent leur panache. Ces animaux sont-ils vaniteux? L'homme qui perd ou a perdu son panache voit souvent son comportement altéré et ne se sent pas bien dans sa peau. Il fonctionne mal. Quelque chose ne tourne pas rond, et il hésite à en identifier la cause. Parce qu'il se croit vaniteux, il résiste à la tentation de consulter et, la plupart du temps il ne demandera une opinion qu'après un long combat intérieur. «Ah! docteur, ça fait 10 ans que ça me fatigue», avouera-t-il finalement.

Motivation personnelle

En principe, le but d'avoir recours à toute chirurgie cosmétique est de se plaire à soi même, d'être mieux dans sa peau. La chirurgie des seins, du visage et la greffe de cheveux ne font pas exception à cette règle. Quand une personne subit une chirurgie esthétique pour plaire à quelqu'un d'autre, quelle que soit la perfection des résultats obtenus, souvent, ce patient se sentira mutilé et ne sera jamais pleinement satisfait des résultats. Évidemment, il était bien dans sa peau avant la chirurgie et, on a modifié son apparence.

C'est le cas de certains patients qui viennent en consultation avec leur compagne. Parfois, c'est madame qui entre en premier dans le bureau en entraînant son compagnon par la main; c'est aussi madame qui répond aux questions posées à monsieur. Il ne faut pas être fin psychologue pour deviner la situation sous-jacente. Personnellement, je refuse toujours de traiter ce type de patients en prétextant des raisons plus ou moins farfelues. Et un patient très heureux quitte mon cabinet.

Incertitude

«Qu'est-ce que vous feriez à ma place docteur?
Croyez-vous que ça vaille le coup?»
Ces questions entraînent une réponse automatique: «Cher ami, vous êtes le seul être au monde capable de répondre à cette question». En effet, le calcul coûts-bénéfices n'appartient qu'au patient. Il est le seul capable de mettre dans la balance d'une part les sacrifices de temps, d'argent et d'inconfort que la greffe lui occasionnera et d'autre part les bénéfices auxquels il peut s'attendre. Mon rôle à moi est d'informer, et non de décider. «Dans le doute, abstiens-toi», dit le proverbe. Il n'y a jamais d'urgence en greffe de cheveux: la vie n'est pas en danger. Que la tentation est grande de dire à ces patients: «On vous a pris juste à temps», «vous aurez l'air dix ans plus jeune!». De grâce, il ne faut pas tomber dans ces pièges; ne vous faites pas vendre une greffe mais faites-vous la expliquer; à vous de juger par la suite.

Patients refusés

On doit d'abord penser à sa santé avant de penser à une greffe de cheveux. Si un patient a un problème médical actif, il doit d'abord régler ce problème avant de penser à une chirurgie esthétique.

Les patients déprimés ou sur le coup d'un choc émotionnel (divorce récent par ex.) sont aussi refusés temporairement. Nous préférons de beaucoup que les patients ne prennent pas de décisions dont les répercussions seront permanentes sous le coup d'une émotion souvent passagère. Il sera toujours temps, lorsque la situation sera revenue à la normale de procéder à une chirurgie.

D'autres patients sont refusés pour des raisons techniques. Ce sont les patients très chauves avec une zone donneuse dont la qualité et la quantité sont insatisfaisantes.

Les patients jeunes, (20 ans), présentent des décisions difficiles car ils n'ont pas encore subi le remodelage de la boite crânienne. Dessiner une ligne frontale dans de telles conditions pourrait s'avérer néfaste et ne plus correspondre à la réalité quelques années plus tard. Nous aimons bien suivre annuellement ces patients et mesurer les angles de ces lignes et la densité des cheveux. L'évolution est un des meilleurs critères que nous ayons pour juger du degré final de calvitie.

Imitation d'un modèle

Certaines personnes voudraient ressembler à quelqu'un d'autre. Ils arrivent souvent avec des photos d'Elvis Presley ou de Ronald Reagan ou encore la photo de quelqu'un qui n'a ni la couleur, ni la texture ni le volume de leurs cheveux. Mission impossible, il faut les référer à la cour des miracles; quels que soient les résultats, ils ne seront jamais heureux après leur greffe.

Évaluation

L'évaluation est une des parties importantes de la consultation

On doit d'abord se rappeler certains principes de base:

La greffe ne rajoute pas de cheveux, elle les redistribue.

La quantité totale de cheveux que l'on peut prélever dans la zone donneuse est déterminée par le degré de calvitie que vous aurez à 45 ans. Il faut donc, jusqu'à preuve du contraire assumer le pire scénario possible; en d'autres termes: garder des réserves pour l'avenir. Si le pire n'arrive pas, on aura trop de cheveux en réserve, quel merveilleux problème. Il est toujours facile d'en rajouter, mais très difficile de les enlever.

Tous les cheveux ne couvrent pas le cuir chevelu de la même façon. C'est un peu comme des peintures, il y en a qui masquent bien en une couche et d'autres où il faut plusieurs couches.

En guise de conclusion

La consultation devrait permettre d'obtenir toutes les informations permettant de prendre une décision. Si tel n'est pas le cas, c'est qu'il est préférable de remettre à plus tard cette décision. Parer sera toujours plus facile que de réparer...

Chapitre 9
Instructions préopératoires

Instructions préopératoires

Nous avons eu souvent l'occasion de le répéter: ***une microtransplantation n'est jamais une opération d'urgence***. Arrivés à cette étape, vous devriez donc avoir eu tout le temps voulu pour prendre votre décision et choisir votre chirurgien. Vous avez pu discuter avec lui de la séquence des opérations afin de gérer le plus adéquatement possible votre capital cheveu.

Maintenant, vous êtes en mesure de vous préparer à l'opération. Quelques précautions sont nécessaires *avant* et *après* l'intervention. Il s'agit de mesures simples et peu contraignantes.

3 MOIS AVANT

Aucune vaccination

Examens préopératoires

Vous ne devez pas oublier d'effectuer les examens préopératoires prévus par votre chirurgien. Nous l'avons dit, on ne procède à une micrograffe que lorsque l'organisme est en santé. Ces examens de laboratoires ont justement pour objet de vérifier votre état de santé. Ils sont donc nécessaires avant l'opération.

48 heures avant

Pas d'aspirine ni d'alcool

L'aspirine et les médicaments semblables sont composés d'une substance joliment nommée: *acide acétyle salicylique ou AAS.* Cette substance a pour effet secondaire de diminuer la coagulation sanguine. Normalement, lorsque le sang entre en contact avec l'air, il coagule, ce qui permet naturellement d'arrêter le saignement. Cette propriété du sang nous est particulièrement utile lors de notre intervention chirurgicale. Il n'est donc pas question de la diminuer avec l'AAS.

L'alcool a aussi un effet anticoagulant. Il ne faut donc pas en consommer avant une intervention.

La veille ou le matin même

Faire un shampoing

Le but de ce shampoing est de bien nettoyer le cuir chevelu et les cheveux.

Bien rincer

Il faut alors rincer abondamment afin de ne pas laisser de savon sur la peau ou sur les cheveux.

Le jour même

Vêtements

Le principe premier est le confort. Vous serez assis pendant plusieurs heures lors de l'intervention. Il convient donc de porter une chemise ample ou un gilet confortable. La chemise nous semble plus appropriée car elle s'enlèvera plus facilement le soir de l'opération, sans avoir à la faire passer par-dessus la tête.

Alimentation

Se nourrir normalement, en évitant toutefois l'alcool. Il faut en fait s'alimenter ce matin comme vous le faites chaque matin. Evitez d'essayer un nouvel aliment que vous n'avez jamais consommé avant. Vous ne voudriez pas prendre la chance que ce nouvel aliment vous cause une urticaire qui retardera votre chirurgie. Ce n'est donc pas le moment de nouvelles expériences gastronomiques. Par contre, *surtout ne venez pas à jeun*.

Port d'une prothèse capillaire

Si vous avez l'intention de porter votre complément de cheveux après l'intervention, nous recommandons une fixation par «clips». Tout adhésif sur la zone donneuse ou sur la zone receveuse est **INTERDIT**. Le but bien évident est d'éviter de traumatiser ces zones lorsque vous aurez à enlever ces adhésifs.

En résumé

Ces quelques instructions bien suivies représentent le complément final de votre préparation à la microtransplantation de vos cheveux. Les respecter scrupuleusement vous permettra une chirurgie la plus confortable possible.

....

Chapitre 10
Le grand jour

Vécu de la chirurgie: le grand jour

La première séance de chirurgie

Comme toute chose inconnue, la première séance de chirurgie peut provoquer une certaine anxiété. Notre but ici est justement de vous expliquer tout le déroulement d'une microtransplantation, afin de vous éviter cette anxiété bien inutile.

Ce que ce n'est pas!

Une microgreffe n'est pas une opération comme celles effectuées en milieu hospitalier. Il existe plusieurs différences fondamentales entre ces chirurgies:

Le patient hospitalisé est généralement malade ce qui nécessite une préparation préopératoire, opératoire et postopératoire très exigeante pour lui. Ici, en microgreffe, c'est l'inverse, nous n'acceptons que des patients en bonne santé. Donc une préparation qui se limite aux quelques conseils divulgués au chapitre précédent, et un patient qui nous arrive en pleine forme constitue un tableau fort différent de ce que l'on est habitué de voir en milieu hospitalier.

La microgreffe s'effectue sous anesthésie locale. Vous ne connaîtrez donc pas les séquelles de l'anesthésie générale telle que pratiquée à l'hôpital. Un sédatif doux peut aussi être administré au patient qui le désire.

Durant votre intervention il n'y aura que très peu de saignement. En fait il y en a moins que lors d'une extraction dentaire par exemple. Les images véhiculées par les médias sont maintenant chose du passé, du moins à notre clinique.

Même notre méthode d'anesthésie locale a été pensée en vue de votre confort: pas de piqûres inconfortables mais un jet de liquide anesthésiant propulsé par un pistolet. Le tout est à toute fin pratiquement indolore.

Plutôt que de vous retrouver sur une table d'opération, vous serez confortablement assis dans un fauteuil spécialement conçu pour permettre au chirurgien de travailler tout en respectant une position assurant votre détente.

On pourrait résumer ainsi: *ça ne saigne pas et ça ne fait pas mal.*

Un jour tout pour vous

En fait, on pourrait même dire qu'il s'agit d'une de ces rares journées où vous allez vous gâter; un jour spécialement pour vous faire plaisir. Je prends un soin particulier à recruter et former mon personnel afin qu'il n'ait qu'un seul objectif: votre confort. Et nous y accordons une attention continuelle. Pendant les quelques heures que vous passerez à la clinique une dizaine de personnes spécialement formées s'occuperont de vous. Réceptionnistes, infirmières diplômées et spécialisées et chirurgiens se sont passés le mot d'ordre: VOUS. Examinons donc en détail votre journée.

L'accueil

A votre arrivée, vous serez accueilli par notre personnel qui vous conduira à votre salle d'intervention. Une fois bien assis sur votre fauteuil, vous n'aurez plus à vous déranger. Vous aurez alors une décision à prendre: quel film choisir? Car durant l'intervention vous pourrez visionner ce film ou, à votre convenance, la programmation régulière de la télévision ou encore écouter de la musique. Puis le chirurgien accompagné de son assistant (e), viendra vous rejoindre.

La chirurgie

La préparation de la zone donneuse

A l'aide d'un ruban à faible adhérence, l'assistante relèvera les cheveux audessus de la zone donneuse et les maintiendra en place. Ces cheveux serviront à cacher cette zone après l'opération. Puis les cheveux de la zone donneuse seront coupés ras. Le chirurgien commence alors l'anesthésie locale. Avec un appareil ressemblant à un petit fusil, il appliquera un liquide anesthésiant par petits jets successifs. Le chirurgien s'enquerra fréquemment de votre état. «Vous vous sentez bien?» vous demandera-t-il. S'il vous arrivait de ressentir un léger étourdissement, alors le chi-

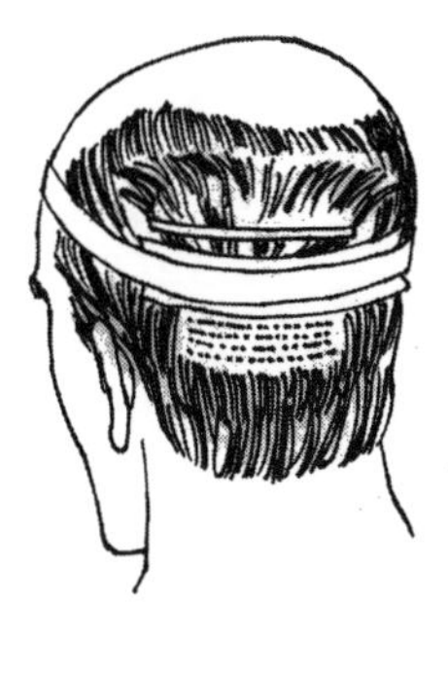

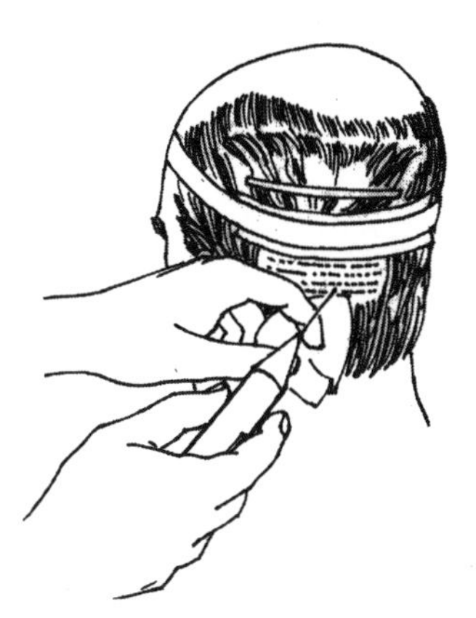

rurgien attendra un peu avant de continuer. Cela pourrait être dû au fait que vous n'avez pas suffisamment mangé ou être lié à votre nervosité. Ces effets temporaires passeront rapidement. De toute façon, rien ne presse. Comme nous l'avons dit, une intervention pour microgreffe n'est pas une urgence. Alors on prend tout le temps qu'il faut. Dès que la zone donneuse est entièrement anesthésiée, commenceront les prélèvements.

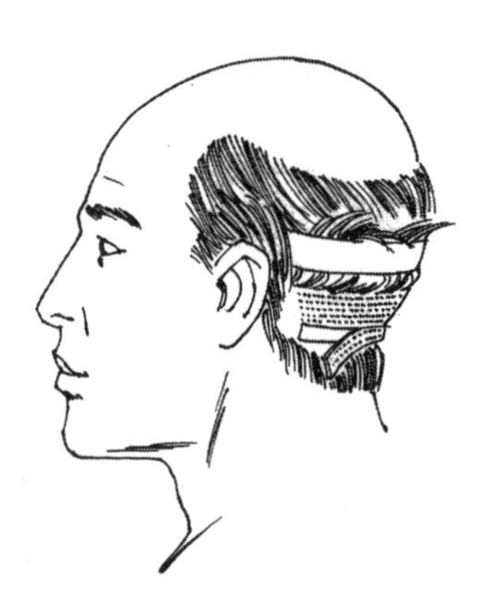

Le prélèvement

Durant l'anesthésie locale, une équipe de quatre à six infirmières aura pris place à un comptoir de votre salle d'intervention. Leur but sera de recueillir les prélèvements et de les préparer à la greffe. Chaque prélèvement sera mis dans un liquide adéquat (liquide physiologique) et distribué à ces infirmières. Un prélèvement contient plusieurs dizaines de cheveux. Dans une séance, on peut greffer jusqu'à deux mille cheveux. Les infirmières les sépareront en groupe de 1 à quelques cheveux (follicules), afin qu'ils puissent être prêts à transplanter. Tout ce travail leur demande une grande concentration et une finesse d'exécution qu'on pourrait comparer à une fine sculp-

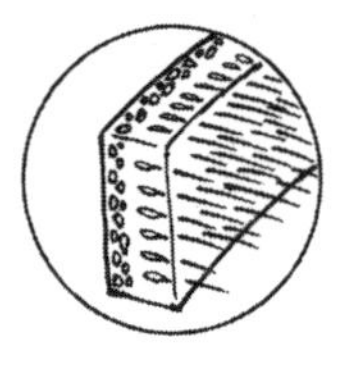

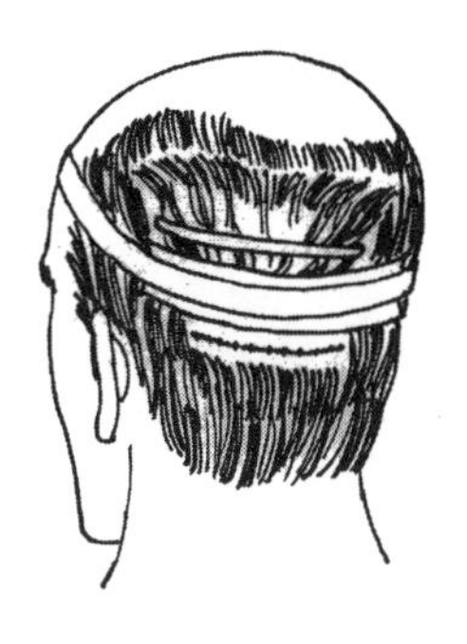

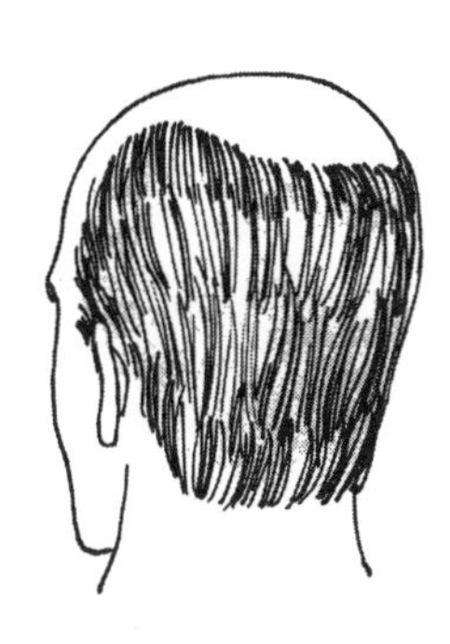

ture. Le tout s'effectue donc dans le silence et vous pouvez continuer le visionnement de votre film en toute tranquillité. Durant ce temps le chirurgien terminera les prélèvements et suturera la zone donneuse. Puis il quittera votre salle, laissant à son assistante le soin de placer les pansements temporaires. Il pourra se passer encore quelques minutes, le temps que les infirmières terminent la préparation des greffons, avant que le chirurgien ne revienne pour préparer la zone receveuse.

La préparation de la zone receveuse

Le chirurgien et son assistante sont revenus dans votre salle et les infirmières sont reparties. Cette étape de l'intervention se passera en quatre temps:

Anesthésie locale. C'est le même type d'anesthésie qui avait été effectuée dans la zone donneuse.

Le chirurgien effectue de minuscules incisions aux endroits où les greffons seront implantés.

Les abords de chacun de ces endroits sont parfaitement préparés.

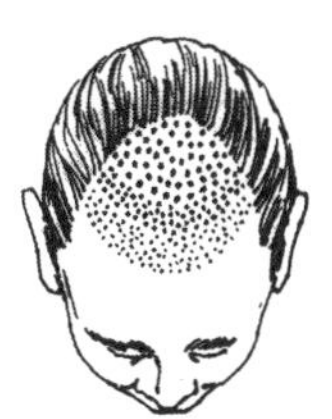

Chaque greffon de 1 à quelques cheveux est implanté dans le sens de la pousse naturelle des cheveux.

Voilà, votre film vient de se terminer, votre première séance de transplantation aussi. Vous êtes maintenant prêt à quitter la clinique.

Notes du co-auteur

Je n'avais jamais vu de transplantations de cheveux avant de commencer à écrire ce livre. Quelques semaines après avoir commencé à travailler avec le docteur Bédard, je vois dans l'horaire télévision qu'une émission sera à l'affiche qui parlera de la microtransplantation. Je me suis donc fait un devoir de la visionner. Ce fut un traumatisme terrible. On y voyait du sang partout et le patient qui en ressortait ressemblait à une momie dont la tête était entourée de plusieurs rangs de bandelettes.

A ma rencontre suivante avec le docteur Bédard, je lui fis, évidemment, part de mon cauchemar. Il me dit que cela ne se passait pas ainsi à sa clinique et m'invita à assister, quand je le désirerais, à ses opérations. J'acceptai mais avec quand même un peu d'anxiété.

Alors, un bon matin, sans prévenir, je me présentai à sa clinique. Après tout le sang que j'avais vu à la télé, je dois vous avouer que je m'étais préparé au pire... Mais, heureusement le docteur avait raison: *rien à voir avec l'émission que j'avais vue à la télé.*

J'ai assisté ainsi par la suite à quelques interventions: des cas faciles et des cas plus difficiles. Entre autres, ce cas d'un patient qui avait eu plusieurs greffes dans une autre clinique quelques années avant. Il fallait refaire tout le travail dans un tissu cicatriciel problématique. Or ce type de tissu est reconnu pour saigner abondamment. Même dans ces cas, du sang, je n'en ai pas vu beaucoup.

Conclusion

Il est bien dommage que certains résultats peu encourageants du passé et quelques émissions de télévision ont pu accorder une mauvaise impression de ce qu'est réellement la microtransplantation douce des cheveux. Ici, la réalité est tout autre. C'est à ce que j'ai vu, et comme les patients me l'ont souvent confirmé dans leurs témoignages, une journée consacrée à eux et à leur apparence. Après tout, combien de fois dans sa vie a-t-on vraiment l'occasion de «**se**» faire plaisir?

....

Chapitre 11
Instructions postopératoires

Instructions postopératoires

Tout comme, il y avait eu à prendre quelques précautions préopératoires, après l'opération, quelques mesures simples devront être respectées afin d'optimiser vos résultats. En fait ce qu'il faut surtout éviter sont les saignements.

Le premier jour après l'opération

Ne pas se pencher en avant (tête baissée)

Ce geste anodin a cependant pour effet d'augmenter la pression sanguine dans les vaisseaux de la tête et du cuir chevelu. Il faut donc l'éviter.

Pas d'aspirine ni de boissons alcooliques

Comme nous l'avons déjà expliqué dans les instructions préopératoires, ces substances ont pour effet de diminuer la coagulation du sang donc de faciliter les saignements.

Le lendemain

Le premier shampoing

Il s'agira d'un shampoing doux en utilisant de l'eau tiède à faible pression. Il ne faut pas frictionner. L'eau tiède est préférable à l'eau chaude ou froide parce qu'elle ne provoque pas de choc sur le cuir chevelu. La pression d'eau doit être faible afin d'éviter de provoquer des saignements. Vous pouvez avoir recours à un spécialiste capillaire si vous le désirez.

Éviter les activités physiques violentes.

Ne force pas seulement que du nez, nous rappelait-on souvent, quand nous étions plus jeune. Cette phrase partait d'un fond de vérité. Il est très difficile voire impossible d'effectuer quelque effort physique sans mettre à contribution les muscles du cou et de la tête. Or lorsqu'on sollicite un muscle, on augmente la pression sanguine à l'intérieur de celui-ci. C'est ce qu'il **ne faut pas** faire après une opération. Il est donc préférable de remettre à plus tard son jogging, plongeon, tennis et autres...

Tous les jours

Shampoing

Faire un shampoing doux, avec pression d'eau faible et sans frictionner. L'eau tiède est toujours préférable.

Tamponner avec une serviette, mais surtout sans frotter. Si vous désirez utiliser un séchoir, utilisez-le à distance avec une chaleur douce.

SURTOUT NE PAS GRATTER les petites croûtes qui recouvrent les microtransplants.

En cas de saignements

Appliquer deux compresses que vous avez reçues à notre clinique médicale à l'endroit du saignement. Exercer une pression ferme avec la paume de la main PENDANT AU MOINS **10** MINUTES **SANS** INTERRUPTION. Enlever ensuite les compresses délicatement. Ce temps est habituellement requis pour permettre une coagulation sanguine suffisante pour arrêter le saignement.

Si toutefois le saignement persiste, utilisez la bande élastique autour de la tête tel qu'on vous l'a montré à notre clinique.

Portez-la au moins 20 minutes puis enlevez la doucement.

Si le saignement persiste toujours, appelez-nous à la clinique.

En résumé

Comme nous l'avons souligné, les greffons s'implanteront définitivement à partir du jour de l'intervention. Cette implantation s'effectue en permettant aux greffons de se joindre au système sanguin. Durant cette phase, il est important d'éviter les saignements, d'où la nécessité d'appliquer ces quelques simples précautions que nous venons de vous décrire. Seule une bonne revascularisation des greffons leur assure leur permanence.

....

Chapitre 12
Les voies d'avenir

LES VOIES D'AVENIR

Introduction

Dans ce chapitre, nous allons examiner quelles peuvent être les voies d'avenir dans le traitement de la calvitie. Encore une fois, nous éliminons dès le départ les solutions miracles qui, dans le passé, ont fait éruption dans la publicité et qui, fions-nous à la nature humaine, continueront de se manifester plus ou moins sporadiquement dans le futur. Il s'en trouvera en effet toujours un pour annoncer le produit, la technique ou l'ultime solution à tous les problèmes de calvitie! Quant à nous, notre regard se portera sur les différentes voies chirurgicales, pharmaceutiques ou techniques qui pourront offrir à plus ou moins long terme des solutions réalistes et efficaces.

La microgreffe

Depuis les dix dernières années, la microgreffe constitue le domaine dans lequel il s'est opéré les plus grands progrès. Ces progrès sont naturellement appelés à s'intensifier dans le futur et ce, à plusieurs niveaux. D'une part sur le plan strictement technique, l'équipement utilisé s'améliore constamment. Pour le chirurgien et pour le patient, ces améliorations se traduisent en efficacité et en confort.

En effet, l'arrivée sur le marché d'outils plus performants a permis d'accroître la précision dans le prélèvement et dans la transplantation des greffons, si bien qu'aujourd'hui il est possible à un bon chirurgien de garantir au patient qu'au moins 90% des greffons transplantés survivront de façon permanente. Dans un avenir rapproché, le chirurgien remplacera son scalpel

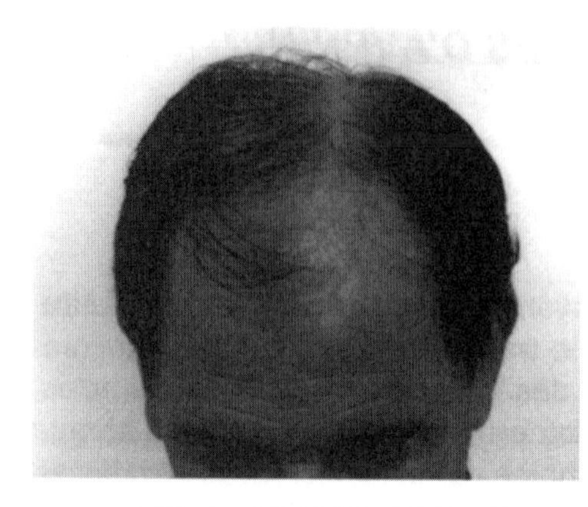

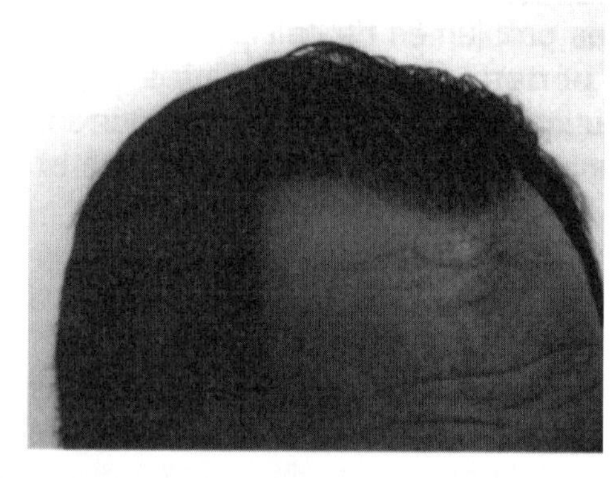

et ses poinçons par des instruments au laser (rien à voir avec la publicité au laser annoncé à la télévision). Cependant, pour le moment, le bistouri au laser ne présente aucun avantage. Il ne faut pas croire que cet outil fait la greffe de cheveux à la place du chirurgien... En plus de provoquer des dégats thermiques sur les cheveux, entre les mains d'un chirurgien expérimenté, les résultats sont de moindre qualité, du moins pour l'instant.

Photo du haut: avant
Photo du bas: après 3 séances de microtransplantation

L'implantation de telles technologies se fera certainement de façon plus généralisée durant la prochaine décennie. De combien augmenterons-nous alors notre efficacité? Il nous est maintenant permis de penser que nous frôlerons alors les 100%...

Il existe un autre niveau par lequel la microgreffe a pu évoluer et continuera à le faire. Celui-ci ne provient pas des avancements scientifiques ou même technologiques mais bien des modes de consultations. A ce chapitre, les habitudes des consommateurs changent et évoluent rapidement. De plus en plus de gens entrent à notre clinique, un peu comme chez le coiffeur. Ils veulent un peu plus de cheveux ici et là ou encore se font suivre annuellement. Ils attendent le moment idéal pour une greffe. En ce sens le chirurgien en microtransplantation vit aujourd'hui ce que les dentistes ont vécu il y a une trentaine d'années.

En effet, si on revient au milieu du siècle, les gens ne se rendaient chez le dentiste que pour se faire enlever une dent. Une meilleure éducation populaire a mis en valeur le rôle consultatif du dentiste et les habitudes de consommation des soins dentaires ont changé. Maintenant on visite le dentiste qui suivra l'évolution de notre appareil dentaire afin d'éviter à avoir à intervenir trop tard. En microtransplantation des cheveux, notre clinique commence à vivre ce changement de cap en ce qui concerne la calvitie.

Consulter tôt et suivre l'évolution de la calvitie optimise la gestion du capital cheveux et permet tant au patient qu'au chirurgien d'obtenir des résultats à long terme beaucoup plus esthétiques et fonctionnels. L'ère de la consultation précoce et du suivi de consultation s'implante graduellement et ses effets à moyen terme se font déjà sentir. C'est notre rôle comme professionnel de divulguer l'information afin d'inciter la population cible à consulter tôt et à participer aux décisions qui concerne l'utilisation immédiate et future de leurs cheveux.

Il deviendra de moins en moins nécessaire de vivre dans la hantise de devenir chauve ou encore risquer de perdre confiance et estime de soi. Dorénavant, le patient pourra consulter et participer au contrôle de sa calvitie en constatant que celle-ci n'est plus un mal inévitable auquel il doive passivement se résigner. A notre clinique, nous encourageons fortement ces consultations préventives afin d'optimiser nos interventions futures.

Donc tant au niveau scientifique et technologique qu'au niveau de la pratique préventive, la microgreffe a connu et est appelée à connaître d'énormes progrès. C'est la raison pour laquelle la microgreffe est rapidement devenue la chirurgie cosmétique la plus consommée par la gent masculine.

Les médicaments

Comment se fait-il qu'il y a plus de vingt-cinq ans, nous avons été capables de marcher sur la lune et que nous n'ayons jamais pu fabriquer un médicament efficace contre la calvitie? Il ne faut pas oublier que la calvitie dont on parle est un problème héréditaire. Or, d'une part les manipulations génétiques en sont encore au stade de la recherche et d'autre part, les questions morales qu'elles soulèvent sont loin d'être résolues. Une vision d'avenir nous montre certes des parents se rendant au laboratoire «*commander*» leur enfant sur mesure, avec toutes les spécifications désirées. Faut-il s'en attrister ou s'en réjouir, ce jour n'est pas encore venu... Si toutefois il arrivait, je doute fort que des parents «commandent» un enfant chauve. Jusqu'à maintenant, les médicaments que nous possédons pour contrer la calvitie provoquent des effets secondaires plus indésirables que la calvitie même. Ainsi ils entraînent la gynécomastie qui, en fait, est une féminisation du corps masculin (développement de seins, voix féminine, etc...) et l'atrophie des testicules. Il est impensable de payer ce prix pour conserver ses cheveux.

Tout au plus pouvons-nous espérer un jour prochain, des médicaments ou onguents qui pourraient arrêter ou du moins ralentir sensiblement l'évolution de la calvitie si on intervient au tout début de celle-ci. En effet, plus la calvitie avance, plus les follicules sont détruits et il est permis de douter qu'on ne trouve jamais de médicament qui puisse *ressuciter* un follicule mort. Par contre les biotechnologies pourraient nous fournir un onguent qui modifierait le code génétique des follicules les rendant insensibles à la testostérone. Appliqué **avant** que la calvitie n'apparaisse, cette pommade constiturait un traitement idéal et règlerait le problème définitivement. Un jour, peut-être, ce rêve deviendra réalité.

La culture des cheveux.

Il s'agirait de prélever chez un patient une petite bande de son cuir chevelu et de la placer en culture de tissus. Ceci nous éviterait la limite actuelle que constitue la zone donneuse en nous fournissant une quantité quasi illimitée de follicules fonctionnels. De telles expériences sont en cours en Angleterre mais les résultats ne sont pas encore tangibles. Dans le même ordre d'idée, on pourrait procéder au *clonage* des follicules. Le principe est de provoquer la multiplication d'un follicule qui en donnerait deux. Même si les expériences actuelles sont décevantes car les nouveaux follicules fournissent des cheveux de qualité médiocre, il est possible qu'on y arrive un jour. Il restera alors à évaluer les coûts de revient des follicules ainsi clonés. Le prix sera-t-il abordable pour le consommateur?

Les transplantations par donneurs

On pourrait penser qu'il sera possible, dans un avenir plus ou moins éloigné, de transplanter des cheveux d'une personne à une autre. On peut en effet greffer un coeur, un poumon ou un rein provenant d'un donneur. Il ne faut pas oublier les énormes problèmes reliés à ces transplantations d'organes, comme trouver un donneur compatible, contrôler les phénomènes de rejet, etc.

On peut et doit certes s'astreindre à de telles difficultés lorsqu'il s'agit d'organes vitaux, mais il serait impensable d'effectuer de tels exploits pour un cheveu! Le phénomène de rejet s'applique intégralement au cheveu greffé. En effet, lorsqu'un follicule est transplanté, le cheveu pousse en produisant des protéines lesquelles sont immédiatement reconnues par l'organisme qui les rejète comme un corps étranger. L'organisme est à ce point capable d'identifier les protéines étrangères qui tentent de croître sur son terrain que même chez les jumeaux identiques, les greffes entre deux personnes ne fonctionnent pas très bien. Cette avenue n'apporte donc pas beaucoup d'espoir!

Conclusion

La microgreffe de cheveux demeure la technique qui a, jusqu'à ce jour, apporté le plus de succès dans le traitement de la calvitie héréditaire. Elle est appelé à continuer cette évolution dans les années à venir pour contrer les problèmes qu'elle rencontre encore. Ainsi une zone donneuse trop pauvre pourra être cultivée en laboratoire avec l'arrivée de la culture de tissus appliquée aux follicules. De grandes améliorations sont attendues du côté du clonage toujours dans le but d'augmenter sensiblement le nombre de follicules disponibles.

Dans un futur plus immédiat, la solution réside dans l'éducation populaire afin de convaincre les individus à risque (ceux dont la calvitie est présente dans leur famille) de consulter tôt. Ceci permettra une bien meilleure gestion de leur capital cheveu et un contrôle plus efficacement esthétique de leur calvitie. Pour tous ceux-là, l'avenir dans le traitement de leur calvitie commence véritablement aujourd'hui. En fait pour l'avenir il existe deux alternatives: attendre que le maximum de cheveux soit tombé et tenter de corriger une situation difficile ou bien consulter annuellement et intervenir plus efficacement au fil des ans.

....

Chapitre 13
Questions-réponses

QUESTIONS

Quoi de mieux, si l'on désire des réponses que de poser des questions! Et, vous pouvez me croire, mes patients m'en posent plusieurs. Nous avons donc pensé à regrouper ici les 20 questions qui me sont le plus fréquemment demandées. De plus, ce chapitre fera une récapitulation des divers éléments qui ont été détaillés dans ce livre.

Question 1: Combien de personnes sont affectées par la calvitie?

La calvitie atteint 66% des hommes adultes et est rare chez la femme.

Question 2: D'où vient la calvitie?

La calvitie est héréditaire, comme la couleur des yeux. Elle peut aussi être secondaire à des brûlures, des blessures, des traitements, etc. La calvitie héréditaire est progressive; aussi, l'image de soi se modifie et, parfois, elle provoque angoisse et frustration.

Question 3: Quel est le but de la microgreffe?

Le but premier est d'améliorer l'apparence afin d'éliminer le manque de confiance en soi ou tout autre malaise. La technique chirurgicale doit être parfaite et les considérations esthétiques également. Ainsi, le dessin et le positionnement de la ligne frontale doivent respecter les proportions naturelles du visage. De plus ils doivent être réalistes, c'est-à-dire respecter la possibilité limitée de la zone donneuse. Bien faite, la microgreffe de cheveux est une technique sûre et valable, avec des résultats souvent spectaculaires. Ce n'est pas un retour à la chevelure originale puisque la microgreffe n'ajoute pas de cheveux, mais les redistribue. Certaines calvities trop avancées sont inaptes à un tel traitement. Lorsqu'on entreprend le traitement, c'est parce qu'il est réaliste. Le succès se fera tant sur le plan technique qu'esthétique. Le résultat est naturel et permanent.

Question 4: Quand a débuté la greffe de cheveux?

La greffe de cheveux, dans les cas de calvitie héréditaire, a débuté aux États-Unis, il y a environ quarante ans. Aujourd'hui, ce procédé très populaire bénéficie d'une technique plus raffinée et d'une connaissance approfondie de ses limites. Aussi, les résultats obtenus sont nettement supérieurs grâce surtout à l'avènement de la microgreffe.

Question 5: Est-on endormi durant l'opération?

Non. Une anesthésie locale est faite au pistolet-gicleur, sans aiguille ni seringue: il est anormal de sentir la moindre douleur durant l'intervention. De plus un autre produit empêche les écoulements de sang qui sont réduits au minimum.

Question 6: Comment s'effectue l'intervention?

Des bandelettes de cuir chevelu sont prélevées dans la zone donneuse. La largeur de ces dernières varie de 0,8 à 1,2 cm et leur longueur dépend du nombre de microgreffons requis pour couvrir la zone receveuse. Ces bandelettes sont ensuite taillées en microgreffons de 1, 3 ou 5 cheveux, selon les besoins du patient. Le nombre de microgreffons faits en une séance oscille de 200 à 1 000. Ils sont insérés dans des fentes ou des perforations de 1mm selon le cas. Les séances sont espacées de 4 à 5 semaines et, en général, 2 séances sont nécessaires pour couvrir une région. Le nouveau cheveu se développe dans la racine et apparaît à la surface 10 à 12 semaines après la greffe. Il aura atteint une longueur normale environ 6 mois plus tard. C'est à cette période que nous désirons revoir les patients pour évaluer les résultats et discuter des possibilités de retouches ou d'augmentation de surface ou de volume, s'il y a lieu.

Question 7: Doit-on revenir pour faire enlever des points de suture?

Non. Il n'y a **aucun pansement ni points de suture** à enlever. Vous pouvez reprendre vos activités normales.

Question 8: En somme qu'est-ce qu'une microgreffe de cheveu?

C'est une chirurgie mineure, faite en cabinet privé, par laquelle les cheveux sont prélevés dans la couronne et relocalisés dans les endroits chauves.

Question 9: Est-ce que cela fonctionne? Est-ce prouvé?

Oui, cette technique est utilisée depuis plus de 40 ans. Réalisée selon les règles, 99% des cheveux transplantés vont repousser. Il n'y a pas de rejet possible; ce sont vos propres cheveux.

Question 10: Dans quelles sortes de calvitie l'emploie-t-on?

La microgreffe est utilisée dans la calvitie héréditaire, dans certaines cicatrices de brûlures, d'accident, d'opération ou de radiations et après certaines maladies du cuir chevelu.

Question 11: Combien de temps durent les résultats?

Durant VOTRE VIE, du moins aussi longtemps que les cheveux de la couronne d'où ils proviennent. Cette constatation est fondée sur la pousse continue de cheveux transplantés il y a 40 ans.

Question 12: Est-ce douloureux?

Tous nos patients s'accordent à dire: « *Moins douloureux que chez le dentiste.* » Dans les 24 premières heures suivant l'intervention, si un malaise apparaît, il sera vite calmé par des analgésiques prescrits. 50%

des patients n'en prennent aucun.

Question 13: Comment les patients réagissent-ils à la greffe?

La réaction est très positive. On note même souvent un changement d'attitude dans la vie.

Question 14: Est-ce que l'on doit se faire couper les cheveux avant l'opération?

Non. Les cheveux de la couronne, longs de 3 cm ou plus, sont suffisants pour cacher l'endroit où sont prélevés les greffons.

Question 15: Comment se préparer à la chirurgie?

Cette intervention est réservée aux gens en bonne santé. Votre chirurgien doit savoir si vous souffrez de quelque maladie que ce soit. Mise à part cette restriction, la préparation est mineure. Pas de vaccin 2 mois avant la greffe. Ni alcool, ni médicament 48 heures avant l'opération (voir chapitre sur les soins préopératoires). Pas de drogue une semaine avant la greffe. Manger normalement.

Question 16: Quoi faire après? Est-ce qu'il y a des complications?

Il n'y a pas de pansement, ni de points à enlever, il

convient de le rappeler. Il y a très peu de saignement. Le shampoing est donc possible et même recommandé le lendemain. Saignement ou infection sont des complications extrêmement rares.

Question 17: Combien cela coûte-t-il?

Cela dépend de la surface à couvrir et du nombre d'interventions.

Question 18: Est-ce que l'on peut porter une prothèse après l'intervention?

Oui, elle sert à cacher les microgreffons avant que les nouveaux cheveux n'aient atteint leur longueur normale.

Question 19: Est-ce qu'il y a des cicatrices?

Les cicatrices totalement invisibles n'existent pas. Dans ce cas, elles sont minimes et jamais une entrave au résultat esthétique.

Question 20: Qu'arrive-t-il à la zone donneuse?

Nous avons souvent de la difficulté à retrouver la zone donneuse, surtout si les cheveux ont repoussé dans la cicatrice. Sinon, elle est suffisamment cachée par les cheveux avoisinants.

En passant, si jamais vous aviez d'autres questions auxquelles vous aimeriez avoir une réponse, n'hésitez surtout pas à communiquer avec nous aux coordonnées suivantes:

Clinique de Greffe de cheveux Bédard inc.
630, rue Sherbrooke ouest
Bureau 301
Montréal, Qc. H3A 1E4
Tél: (514) 842-8449
1-800-363-3547

ou

4, avenue des Ternes
Paris. 75017
Tél: 40 53 93 21

Chapitre 14
Le complément capillaire

LE COMPLÉMENT CAPILLAIRE

par Gil Mennetrey

Il arrive, comme nous l'avons souvent souligné, que la microtransplantation seule ne puisse régler tous les problèmes. Que les raisons soient d'ordre physique (voir le capital cheveu) ou personnelles, certains patients chercheront d'autres solutions à leur calvitie.

Le complément capillaire

Jusqu'à présent, c'est la technique la plus utilisée dans le monde pour corriger la calvitie. Je précise « jusqu'à présent » parce qu'avec l'avènement de la microtransplantation douce, le complément capillaire est de plus en plus souvent remplacé par des microtransplants ou encore combiné avec cette technique lorsque c'est possible, bien entendu.

Au cours des trente dernières années, le complément capillaire a souvent changé de nom. Il s'est d'abord appelé postiche, puis toupet.

En 1975, le mot prothèse capillaire est apparu. Certains professionnels l'emploient d'ailleurs encore aujourd'hui.

En 1978, New Man, une firme américaine lance « l'apparence naturelle » pour illustrer une nouvelle race de prothèses capillaires particulièrement réussies et qui donnent l'illusion d'une réelle apparence naturelle. Puis en 85, le terme « remplacement capillaire » apparaît et il est adopté par presque tous les coiffeurs. En 1988, on parle de chevelure de remplacement puis d' « addition de cheveux ».

Depuis quelques années, ces termes sont remplacés le plus

souvent par « complément capillaire » ou « complément de cheveux ». Il est vrai que ce dernier est un terme qui illustre bien la technique puisqu'il s'agit d'ajouter aux cheveux qui restent un complément de cheveux. Deux époques correspondent à deux techniques très différentes en matière de « complément de cheveux », l'avant et l'après 1978.

Avant 1978

Les postiches ou toupets étaient toujours fabriqués en cheveux naturels. Posticheur était un métier prospère et qui nécessitait une grande habileté professionnelle.

D'abord, le candidat au postiche devait aller chez le professionnel faire prendre les mesures exactes de sa calvitie. Puis, ce dernier procédait à la fabrication du toupet. Il utilisait pour se faire des cheveux naturels qui provenaient la plupart du temps des religieuses des couvents. En effet, pour se procurer des revenus intéressants, ces dernières vendaient leurs cheveux aux posticheurs qui les achetaient à prix d'or. A titre d'information, sachez que le prix du kilo de cheveux égale et quelquefois dépasse celui du kilo de caviar béluga.

Sur un tulle très fin mais résistant, le posticheur implantait un par un des cheveux de même couleur et de même texture que ceux du client. Lorsque la pièce était terminée, on procédait à un essayage. Puis, quand tout était achevé, le postiche était posé par un coiffeur qui l'ajustait sur la tête du client à l'aide d'un adhésif double face comme celui qui sert à coller les moquettes.

Les posticheurs réalisaient des pièces superbes et le résultat était souvent très réaliste.

Hélas, le soleil jaunissait rapidement les cheveux et avec un tel artifice, les bains de mer, la piscine et le sport en général étaient compromis. Et puis le porteur de postiche était à la merci d'un coup de vent trop violent ou d'une main féminine qui s 'égare tendrement sur la nuque au moment où il ne faut surtout pas.

Bref, avant 1978, le port d'un postiche était une aventure risquée et de surcroît très onéreuse en raison même du coût de la matière première et du temps passé à sa réalisation. Le toupet était donc réservé à quelques messieurs fortunés et particulièrement coquets.

Après 1978

En 1978, une société américaine, la Compagnie Allan Arthur lance une nouvelle approche du postiche sous la marque « New Man ».

Il s'agit d'un nouveau concept qui va révolutionner complètement le toupet jusque là réservé à un très petit nombre.

Dans ce concept, tout est nouveau. D'abord, le cheveu en lui-même. C'est une fibre synthétique, le Toupelon qui imite assez bien le cheveu naturel. Les avantages sont multiples. D'abord, le Toupelon ne s'emmêle plus comme les cheveux surtout lorsqu'on les lave. Ensuite, il ne jaunit plus au soleil. Bref, il est plus résistant et plus facile d'entretien que le cheveu naturel. Il se lave et se sèche en quelques minutes mais ne supporte aucune température au-dessus de 120°, sinon... il fond ! Alors, gare au séchoir, au barbecue et à toute source de chaleur un peu intense.

La base du nouveau postiche est également révolutionnaire. Il s'agit d'une sorte de tulle tissé très fin qui prend par transparence la couleur du cuir chevelu, un peu comme un verre de contact sur l'iris de l'oeil. On appelle cela une micropeau. Allan Arthur possède son usine aux îles Philippines, en Asie. Là-bas, la firme américaine bénéficie d'une main-d'oeuvre très bon marché et particulièrement habile et méticuleuse.

Le postiche est ainsi industrialisé et son coût diminue considérablement. Le résultat esthétique est également amélioré et on peut maintenant dire qu'avec ce nouveau produit, le client retrouve réellement une apparence naturelle. On nomme d'ailleurs « Apparence naturelle » le nouveau Toupet « New Man ».

Au Canada, c'est Gaston Gélinas un coiffeur de Saint-Barnabé, près de Trois-Rivières qui importe le nouveau produit. En France, c'est Gil Mennetrey (NORGIL) qui en obtient la distribution. Ce spécialiste a un associé, Norbert Theuret, et les deux hommes vont former plusieurs centaines de coiffeurs à la technique New Man. C'est le vrai début de la démocratisation du complément capillaire d'aujourd'hui. Le succès est immédiat.

Pourtant, le système de fixation par adhésif pose encore des problèmes malgré les améliorations.

Gil Mennetrey a lui-même été formé par René Molinario, un grand coiffeur posticheur de Paris qui avait inventé et breveté une méthode de fixation particulièrement originale, le micropoint.

Tout autour du crâne, les chauves conservent une couronne de cheveux qui ne tombent jamais. C'est ce que l'on appelle la couronne hippocratique. René Molinario avait imaginé une technique qui consiste à séparer tout autour de la couronne des petites mèches de 15 à 20 cheveux, et de les nouer sur un fil d'amarrage, lui même fixé sur la prothèse capillaire. Chaque noeud ainsi formé est consolidé par une goutte de colle chirurgicale, la même que celle qui est employée pour fixer les tissus humains.

Gil Mennetrey perfectionne le système et remplace la colle qui endommage les cheveux par un fil qui bloque les petites mèches de la couronne. La fixation par microfils était née. Celle-ci obtient encore la préférence des meilleurs spécialistes aujourd'hui. Cette fixation permet au porteur de prothèse capillaire de dormir et de vivre 24 heures sur 24 avec sa prothèse. Il peut pratiquer tous les sports avec pleine liberté et prendre sa douche normalement. C'est en fait une fixation permanente.

De 1978 à 1994, le complément capillaire évolue vers plus de légèreté et de naturel. Les bases deviennent de plus en plus fines, mais perdent en solidité ce qu'elles gagnent en naturel. La fibre, elle, ne change pas.

Bien sûr, divers essais sont faits, mais sans innovations réellement intéressantes. La fibre Toupelon a ses limites. En plus de sa relativement faible résistance à la chaleur, elle frisotte et nécessite un reconditionnement régulier toutes les six semaines. Elle se noue difficilement sur la base et la durée de vie du complément de cheveux n 'est pas toujours très longue (2 à 3 ans maximum).

En 1995, la société NORGIL, en France, lance une nouvelle fibre beaucoup plus résistante que le Toupelon. Cette nouvelle fibre, fabriquée au Japon, possède de nouvelles caractéristiques intéressantes. D'abord, elle résiste à une température de 200°, ce qui lui permet d'être coiffée et séchée avec un séchoir à main même très chaud tout comme le cheveu naturel.

Ensuite, elle est poreuse, elle absorbe donc l'eau, toujours comme les cheveux.

Enfin et surtout, elle possède sur sa surface des écailles comme un vrai cheveu. Cette particularité lui permet d'être nouée très solidement à la base sur laquelle elle est implantée et ainsi la durée de vie du complément de cheveux est considérablement allongée.

Autre avantage, cette solidité à toute épreuve permet aux professionnels une implantation ultra légère, gage d'un véritable aspect très naturel. L'implantation devient alors si naturelle qu'elle rejoint celle réalisée avec la microtransplantation lors des séances de microgreffes, cheveu par cheveu.

Gil Mennetrey, propriétaire d'un Centre Médical de Microtransplantation Capillaire à Paris a alors l'idée de combiner les deux méthodes: une microtransplantation sur le devant de la calvitie, et une prothèse capillaire avec cette nouvelle fibre implantée ultra légèrement sur l'arrière. Le résultat est remarquable de naturel. Gérard Guidi, ex international de rugby qui entraîne aujourd'hui les joueurs de l'équipe de l'île de la Réunion dans l'Océan Indien, est le premier à utiliser cette toute nouvelle technique, appelée Hair light. L'Hair light permet enfin à tous de retrouver des cheveux, même lorsque la zone donneuse n'est pas suffisamment fournie pour recouvrir une calvitie importante.

Types de prothèses

Il existe de nombreux types de prothèses capillaires. Nous allons les passer rapidement en revue. Différencions d'abord celles qui sont réalisées en cheveux naturels de celles qui sont fabriquées avec des cheveux synthétiques.

Cheveu naturel ou synthétique. Que choisir ?

Aujourd'hui, les compléments capillaires en cheveux naturels représentent encore 20 % de la production mondiale. Ce sont essentiellement des cheveux d'origine asiatique qui ont subi divers traitements destinés à éviter l'emmêlement lorsqu'ils sont mouillés.

Le cheveu asiatique qui est noir et plus gros en diamètre que le cheveu occidental, est écaillé puis décoloré et recoloré dans toutes les nuances correspondant à nos différentes teintes de cheveux. Il est d'un coût très abordable.

Le cheveu européen provient, nous l'avons vu précédemment, essentiellement des religieuses qui vendent leurs cheveux pour assurer une partie des revenus du couvent, et principalement d'Europe Centrale, d'Italie et de Sicile. C'est un cheveu occidental, donc de même teinte et de même texture que le nôtre. Il ne subit aucun traitement avant d'être utilisé pour l'implantation sur la prothèse. Il est souvent superbe mais beaucoup plus cher.

Une prothèse en cheveux naturels européens est par conséquent beaucoup plus coûteuse et de plus, il faut savoir qu'elle sera plus fragile et plus complexe à entretenir. Elle jaunira aussi plus facilement, mais bien que le cheveu naturel soit souvent plus cher, et moins facile d'entretien il reste cependant sans équivalence sur le plan esthétique tout au moins pendant les premiers mois. En revanche, si vous faites beaucoup de sport, nous vous le déconseillons formellement à cause de l'entretien.

Vous choisirez donc de préférence le cheveu synthétique. Il en existe plusieurs types :

L'Elura et le Dynel constituaient les premières fibres synthétiques mais sont presque définitivement abandonnées aujourd'hui.

Le Toupelon, une variété de kanékalon, est réservé à la fabrication des prothèses capillaires. C'est la fibre la plus couramment employée aujourd'hui. Malheureusement, elle ne supporte pas plus de 120°.

Le Bégalon est une fibre qui supporte 180° mais qui déçoit la plupart des spécialistes qui l'ont essayée, notamment à cause des couleurs.

Le nouveau cheveu de synthèse Japonais qui semble réunir à la fois les qualités du cheveu naturel en ce qui concerne l'aspect, la texture et le « toucher », et les avantages du cheveu synthétique pour l'entretien et la facilité d'utilisation. Ajoutez à cela que cette nouvelle fibre supporte des températures très élevées et qu'elle possède une mémoire qui lui permet d'être indécoiffable. Avec tous ces avantages, vous comprenez pourquoi elle surclasse aujourd'hui les autres fibres.

Deux inconvénients à ce tableau idyllique, elle est beaucoup plus chère que le Toupelon et elle nécessite un bon spécialiste pour la travailler lors de la pose de votre complément capillaire.

Pour le Volum'Hair qui permet de densifier les cheveux clairsemés, le cheveu naturel est de loin préférable au cheveu synthétique.

La base de votre complément capillaire

Les cheveux sont implantés sur une base qui correspond à la superficie de votre calvitie.

A ce sujet, un beau complément de cheveux se fait toujours sur mesure. Je sais qu'il existe des coiffeurs qui en proposent en version standard, prêts d'avance mais c'est une aberration. Chaque calvitie est différente et, à moins de tomber juste au millimètre près avec la surface standard, ce qui est très rare, vous ne pourrez être satisfait d'un tel compromis. Il existe plusieurs qualités de base dont les trois plus courantes sont :

- le tulle
- la base alvéolée
- la micropeau

Le tulle est maintenant de plus en plus abandonné.

La base alvéolée est réservée aux hommes qui recherchent avant tout la fiabilité.

La micropeau est la base la plus utilisée. Fine et aérée, elle prend par transparence la couleur du cuir chevelu et laisse passer la transpiration. Plus elle est fine, plus elle est naturelle, mais en même temps, plus elle est fragile.

Un nouveau type de base créé par les Japonais vient de sortir. Cette base a l'avantage d'être aussi fine que la plus fine des micropeaux mais d'être encore plus solide et résistante que la plus épaisse des bases alvéolées. Sa commercialisation est prévue pour 1996.

La prise d'empreinte

C'est elle qui va conditionner le résultat final dans la fabrication de votre complément capillaire.

C'est un peu comme chez le dentiste où la prise d'empreinte conditionne la réussite de votre prothèse dentaire.

Jusqu'à présent, la prise d'empreinte était faite à l'aide d'une feuille de plastique tendue sur votre crâne.

Avec du ruban adhésif, on durcit cette forme qui représente le galbe de votre crâne. Puis à l'aide d'un crayon marqueur, le spécialiste délimite les contours de votre calvitie et indique par des flèches le sens de votre coiffure (voir photos 1 et 2). Depuis peu, les japonais ont créé une nouvelle méthode de prise d'empreinte. A l'aide d'une sorte de chauffe-plat électrique, on assouplit en la chauffant une fine plaque de plastique qui est posée sur votre tête. La plaque prend immédiatement la forme de votre crâne. Elle refroidit en quelques secondes et se solidifie. Il ne reste plus au spécialiste qu'à dessiner sur le support plastique les contours de votre calvitie et à indiquer le sens d'implantation des cheveux et la couleur exacte grâce à un nuancier.

Cette nouvelle technique est plus précise que la précédente et permet une fabrication beaucoup plus sophistiquée qui se traduit par un confort exceptionnel. Avec cette méthode, le complément capillaire épouse au millimètre près la forme du crâne et la fixation en est grandement facilitée.

La fixation

Il existe différents types de fixation pour les prothèses capillaires :

- La fixation adhésive
- La fixation par clips
- la fixation permanente
- la fixation chirurgicale.

Commençons tout de suite par ***la fixation chirurgicale*** pour dire qu'elle est à proscrire impérativement : Un fil chirurgical passé en surjet dans la peau du crâne permet d'amarrer la prothèse sur le cuir chevelu. Aucun chirurgien sérieux ne pratique plus ce genre d'intervention qui se solde neuf fois sur dix par des inflammations, des suppurations et l'abandon de ce type de fixations.

La fixation par un adhésif double-face est celle qui est la plus utilisée dans le monde pour fixer votre prothèse ; notamment pour ceux qui souhaitent enlever et remettre leur complément capillaire: Une colle chirurgicale est également envisageable dans certains cas.

La fixation par clips:

Des petites barrettes métalliques extra plates, cousues sur le bord interne de la prothèse permettent une fixation assez pratique. Curieusement, c'est la fixation préférée des coiffeurs posticheurs pour ... eux-mêmes lorsqu'ils sont porteurs d'un complément capillaire.

La fixation permanente

C'est une technique qui permet de vivre vingt-quatre heures sur vingt-quatre avec sa prothèse. Vous pouvez dormir, prendre votre douche, faire votre shampooing vous-même (avec certaines précautions bien sûr) et pratiquer tous les sports même les plus violents (rugby, judo, lutte) sans aucune contrainte. En fait, la prothèse est fixée aux cheveux qui vous restent sur la couronne hippocratique.

La fixation permanente est très sécurisante pour le client, mais attention, il faut savoir qu'elle nécessite un resserrage toutes les six semaines. En effet, les cheveux de la couronne repoussent environ d'un centimètre par mois. Après quelques semaines, la prothèse a donc tendance à bouger et il est nécessaire de la déposer, de la nettoyer, de la reconditionner et de la refixer. Cet entretien s'il est bien fait, peut durer entre une heure et une heure et demie et coûte environ trois fois le prix d'une coupe de cheveux. A ce sujet, le spécialiste en profite pour vous couper les cheveux au moment de l'entretien.

Avec le nouveau cheveu de synthèse japonais, la remise en forme est supprimée puisque cette fibre possède une mémoire qui conserve la coiffure indéfiniment. Seuls subsistent la dépose du complément, le lavage et le resserrage. Le temps est ainsi réduit de moitié.

Il existe trois formules de fixation permanente :

LE TRESSING

Le spécialiste vous fait une petite natte tressée avec les cheveux qui restent sur la couronne. C'est la plus ancienne méthode. Quelque peu désuète, les spécialistes modernes ont de plus en plus tendance à l'abandonner au profit de la méthode de fixation par microfils.

LES MICROPOINTS

Votre prothèse est fixée à plusieurs petites mèches de la couronne avec des noeuds bloqués par une goutte de colle chirurgicale. Cette technique a l'inconvénient d'abîmer les cheveux du patient au moment du resserrage de la prothèse.

LES MICROFILS

C'est la même technique que celle des micropoints mais cette fois la colle est remplacée par un fil qui bloque la fixation. C'est la plus récente des fixations. Plus sûr et plus moderne que le tressing, elle n'a plus l'inconvénient d'abîmer les cheveux restants de la couronne au moment du resserrage.

NOTRE CONSEIL

Indiscutablement, la fixation par microfils est de loin la plus sûre et la plus confortable. Choisissez de préférence un spécialiste qui la pratique.

Indications dans les cas de cheveux clairsemés

Certains hommes mais plus souvent les femmes ont des cheveux clairsemés. Il existe deux types de cheveux clairsemés:

- Ceux qui sont clairsemés uniquement sur le dessus avec une zone normalement fournie sur l'arrière et les côtés.

- Ceux qui sont clairsemés partout, aussi bien sur l'arrière que le dessus.

Pour les premiers, la microtransplantation est possible et si les cheveux de l'arrière sont de bonne qualité, elle est même préférable à toute autre méthode.

Pour les seconds, la microtransplantation n'est pas possible, faute de densité suffisante dans la zone donneuse située sur l'arrière du crâne. Dans ce cas, une technique est possible. Elle a pour nom le Volum'Hair.

Le Volum'hair

C'est un complément de cheveux mais il est conçu différemment.

Imaginez une sorte de filet avec des carrés d'un centimètre de côté. Sur ce filet, le posticheur implante des cheveux de même couleur et de même texture que ceux du patient ou de la patiente, sur une surface équivalente à celle qu'il faut densifier.

Sachant qu'une chevelure normale est de 100. 000 cheveux environ, si la personne en a perdu 30 000, il suffit d'en réimplanter 30 000 sur le filet pour retrouver sa densité initiale.

Le Volum'Hair est posé sur la partie clairsemée et les propres cheveux de la personne sont passés au travers du filet à l'aide d'un petit crochet. Ils sont ensuite mélangés intimement avec les cheveux supplémentaires pour former une coiffure homogène et d'aspect naturel.

Le Volum'Hair est fixé par des clips aux cheveux restants ou mieux, par une fixation permanente comme la fixation par microfils, par exemple.

Ni greffe, ni perruque, le Volum'Hair est un complément de cheveux très aéré au travers duquel les cheveux de la cliente sont passés et mélangés intimement avec les cheveux ajoutés.

L'Hair Light

Lancée en juillet 1995, cette toute nouvelle technique est en fait un panachage de la microtransplantation et du complément capillaire.

Toute la partie frontale est implantée de microtransplants, prélevés normalement dans la nuque du patient. En général, 2 séances suffisent.

La partie arrière est recouverte d'un complément de cheveux, implantés cheveu par cheveu (single hair), sur une micropeau très fine et résistante avec impérativement les nouveaux cheveux de synthèse japonais.

Cette nouvelle technique moderne permet à des patients atteints de grande calvitie de bénéficier d'une couverture totale et d'une coiffure très naturelle vers l'arrière.

Indications dans le cas d'une chute de cheveux totale

Un(e) patient(e) qui a perdu ses cheveux sur toute la surface du crâne ne peut pas bénéficier d'une microtransplantation faute de zone donneuse.

Si c'est à la suite d'un traitement de chimiothérapie, les cheveux repousseront. En attendant, le port d'une perruque (une perruque micropeau) est conseillé.

Il existe aujourd'hui de très belles perruques micropeau dont l'arrière est implanté à la main et dont l'avant comporte une partie en micropeau finement implantée de cheveux.

Quand on perd ses cheveux par plaques ou complètement sur toute la tête, il faut savoir qu'un nouveau traitement finlandais, le Viviscal donne des résultats intéressants avec un pourcentage non négligeable de repousses.

Conclusion

Le complément de cheveux est une bonne solution pour résoudre les problèmes de calvitie.

Il convient essentiellement aux hommes qui veulent retrouver une forte densité de cheveux, impossible à obtenir avec la microtransplantation douce. Il est également indiqué pour les grandes calvities qui ne possèdent pas une zone donneuse suffisante.

Nous le conseillons aussi pour tous les patients qui ont une mauvaise qualité de cheveux, des cheveux trop fins ou trop peu fournis.

Il faut savoir que le complément de cheveux reste une prothèse et que cette prothèse nécessite un certain entretien qu'il vous faudra assumer au minimum toutes les six semaines.

Mon conseil

Souvenez-vous toujours qu'un homme de quarante ans qui a perdu ses cheveux ne doit pas rechercher l'image de ses vingt ans. Il doit simplement ressembler à un homme de quarante ans qui n'aurait pas perdu ses cheveux. Et croyez-moi, il y a une grande différence. A quarante ans, le visage change, le front se dégage et les golfes frontaux se creusent.

Si vous optez pour le complément de cheveux, choisissez un professionnel confirmé qui tiendra compte de ces éléments. Demandez un modèle avec une implantation légère et de préférence avec le nouveau cheveu de synthèse japonais. Au moment de la prise d'empreinte, demandez à ce qu'on vous recule la ligne frontale et qu'on vous creuse les golfes au maximum. C'est le « plus » qui permet de retrouver l'apparence naturelle qui conviendra le mieux à votre physique et qui correspondra à votre personnalité et surtout à votre âge.

Un complément de cheveux bien fait est totalement insoupçonnable. Les nombreuses stars du petit et grand écran qui en portent le prouvent tous les jours.

Que choisir: complément capillaire ou microtransplantation?

Certains hommes seront toujours réfractaires à l'idée de se faire implanter des cheveux et refuseront de passer en clinique même si cette intervention est bénigne et absolument indolore.

L'homme est souvent beaucoup plus douillet que la femme. A la seule évocation de mots tels que «chirurgie », « piqûre », « clinique », il préfère « l'autre » solution, c'est à dire le complément capillaire qui est plus simple et qui ne nécessite pas l'intervention d'une équipe médicale.

Autre point fondamental : la densité de cheveux que l'on veut obtenir.

En règle générale, on conseille le complément capillaire à tous les grands chauves dont la densité de la couronne ne permet plus une implantation suffisamment importante sur les parties à regarnir, et plus généralement, à tous les hommes chauves qui souhaitent retrouver une densité de cheveux conséquente, quel que soit leur degré de calvitie, petite, moyenne ou importante.

Un chauve qui souhaite retrouver les cheveux de ses vingt ans n'a d'autre choix que celui du complément capillaire.

Pour le patient, ce critère est important, et le spécialiste ne manquera pas de le prendre en compte.

Le prix est aussi un élément non négligeable, mais attention à l'analyse que l'on en fait. Le prix du complément de cheveux est 4 à 5 fois inférieur à celui de trois séances de microtransplantation nécessaires à un bon résultat. Néanmoins, un complément de cheveux a une durée moyenne de 1 à 2 ans. Même si on est très soigneux, en 6 à 8 ans, on aura acheté 3 à 6 prothèses et dépensé autant avec le complément de cheveux qu'en trois séances de microtransplantation qui, elles, sont définitives. Il faut de plus tenir compte du prix des séances d'entretien et de resserrage de la prothèse.

Autre point qui pèse lourd également dans ce choix, c'est le sens que vous souhaitez donner à votre coiffure.

Si vous vous coiffez vers l'arrière, abandonnez tout de suite l'idée du complément capillaire. C'est totalement impossible avec cette méthode. On verra le bord du complément sur votre bordure frontale si vous voulez vous coiffer ainsi. C'est incontournable sauf si vous adoptez la nouvelle technique Hair Light qui combine microtransplantation sur le devant et complément sur l'arrière.

En effet, seule la microtransplantation permet une coiffure vers l'arrière. C'est un de ses principaux avantages outre le fait qu'elle ne nécessite aucun entretien et que le résultat est obtenu à vie.

....

Chapitre 15
Témoignages

TÉMOIGNAGES

par: Jacques Beaulieu

Pourquoi des témoignages?

Nous avons décidé d'inclure un chapitre de témoignages afin que le lecteur puisse y trouver des similitudes et des différences avec ses propres aspirations. Systématiquement, nous avons posé à ceux qui ont bien voulu gratuitement se plier à une entrevue au moins deux questions: *Qu'est-ce qui vous a motivé à entreprendre une greffe de cheveux?* et *Comment est votre vie depuis cette greffe?* Souvent le fait de savoir comment d'autres personnes ont réagi dans des situations semblables peut nous aider à prendre nos propres décisions.

Notre but n'est certainement pas d'exhiber ici nos compétences. Il consiste plutôt, comme nous l'avons souligné, à fournir aux lecteurs une norme de comparaison plus accessible et facilement compréhensible. Dans tous les témoignages que vous lirez, les noms réels des patients ont été remplacés par des noms fictifs afin de respecter l'intimité présente et future de chacun. En effet, nous avons opté pour l'anonymat, même si pour la très grande majorité des participants, ils ne voyaient aucune objection à ce qu'on utilise leurs noms réels.

Mais un livre reste habituellement longtemps en circulation. Ce n'est pas comme un article de journal ou de revue qui termine rapidement son existence. Un patient peut être d'accord pour qu'on utilise son nom, mais aimera-t-il que l'on parle encore de sa greffe dans cinq ans? Par ailleurs, certains patients sont des personnalités très connues du grand public. Utiliser leurs noms réels constituerait une publicité contraire à la philosophie de ce chapitre sur les témoignages.

Notes du co-auteur

Écrivain dans le domaine scientifique, depuis une vingtaine d'années, ne me place pas pour autant à l'abri des préjugés. En réalisant ces entrevues, je me suis rendu compte que plusieurs de ceux-ci ont refait surface... Ainsi, je me rappellerai longtemps de ce rendez-vous avec mon premier interviewé. Je lui avais parlé au téléphone la veille et, à cause de son emploi du temps plutôt serré nous avions convenu d'un rendez-vous en fin d'après-midi dans un petit restaurant. Je m'attendais à voir arriver en limousine un homme d'affaire aussi riche qu'occupé. Effectivement, vers les 17 heures 45, je vois arriver un taxi. «*Mon homme d'affaire est vraiment en moyen*», pensais-je immédiatement. Puis je l'ai vu sortir du véhicule par la porte du conducteur. Mon premier préjugé venait de tomber. Il n'est pas besoin d'être très riche pour s'offrir une greffe de cheveux. Mon invité était chauffeur de taxi...

Luc Yves, chauffeur de taxi

De 1977 à 1980, je perdais de plus en plus de cheveux. En 1986, j'avais à l'arrière de la tête une région d'environ trois pouces et demi où il n'y avait plus aucun cheveu, et l'avant devenait lui aussi de plus en plus clairsemé. J'avais essayé bien des potions magiques et je me rappelle même d'une de celle-ci qui venait de France et était vendue ici dans une grande chaîne de magasins à rayons. Je me disais que si cette chaîne distribuait ce produit, il devait être efficace d'autant plus que le traitement était, soi-disant, *garanti*. Je n'avais, évidemment, pas lu les petits caractères qui disaient que si aucune repousse n'apparaissait après six semaines, cela indiquait que le traitement ne fonctionnait pas et n'était donc plus garanti. En plus, ce traitement était passablement dispendieux, tout près de cinq cents dollars. A part de la vendeuse du magasin qui se voulait encourageante et me disait après six mois voir un petit duvet, il n'y a jamais eu de repousse. En tout j'ai dû essayer quatre ou cinq de ces types de traitements sans jamais obtenir le miracle escompté. C'est ma coiffeuse qui m'a parlé pour la première fois de la greffe de cheveux et qui m'a suggéré le nom du docteur Bédard. Comme vous le voyez, je cherchais absolument une solution. Je n'aimais pas mon apparence. Plusieurs me disaient que je ressemblais à mon père. Moi, je savais qu'ils ne parlaient pas du visage mais plutôt du dessus de la tête. J'organisais des spectacles pour les handicapés et c'était rendu que j'étais gêné de me présenter et de chanter. Les femmes me disaient que j'étais beau garçon, mais j'avais l'impression de les entendre ajouter en arrière: *«mais si t'avais plus de cheveux...»* Il fallait donc que je fasse quelque chose.

La première rencontre avec le docteur Bédard m'a convaincu. J'ai été bien reçu. Il a pris tout le temps pour bien m'expliquer ce qu'il pouvait faire. Il m'a montré des photographies de personnes qui avaient le même type de calvitie et j'ai vu les résultats chez les autres. Le docteur Bédard m'a suggéré de prendre quelques semaines pour penser à ma décision et je lui ai dit que cela était inutile, je voulais une greffe de cheveux.

Les traitements ont donc commencé et je me suis toujours senti en pleine confiance tant avec le docteur Bédard qu'avec son équipe. Avant de faire quoi que ce soit, ils t'informent de ce qui va se passer et tout ce monde travaille autour de toi pendant que tu regardes un film que tu as choisi. Je me savais entouré de professionnels. Être en confiance m'a beaucoup aidé. Je mentirais si je vous disais que je n'ai rien senti, mais je n'ai jamais ressenti de douleurs. Presque pas de sang, les opérations ont toutes bien été. Je peux dire sincèrement que ces greffes m'ont bien aidé. Je suis maintenant plus sûr de moi, j'ai confiance en moi. J'ai perdu neuf livres et je n'en ai plus que quelques autres à perdre. Mon image corporelle s'est bien améliorée et je prends un grand plaisir à me peigner. Avant je mettais cinq minutes à me coiffer, aujourd'hui j'y passe souvent près de vingt-cinq minutes. Vraiment, je suis heureux des résultats.

Marcel Toupin, industriel.

Mes cheveux tombaient beaucoup et j'étais alors âgé de 34, 35 ans et je trouvais que c'était trop jeune pour me retrouver sans cheveux. A l'intérieur de moi-même, je m'y refusais. En fait, mon entourage semblait beaucoup mieux m'accepter que je ne le faisais moi-même. Disaient-ils cela pour me réconforter ou étaient-ils sincères? J'avais des doutes.

La calvitie est un problème familial, mes frères, mon père et mes cousins en souffrent. J'avais bien essayé une dizaine de produits et même le Rogaine pendant deux ans. Chez moi, ce produit n'a pas eu d'effet et j'ai dû en cesser l'utilisation car il provoquait d'autres problèmes de santé comme des douleurs à la poitrine. C'est mon cousin qui m'a parlé du docteur Bédard. Son coiffeur avait été traité par lui et avait obtenu d'excellents résultats. La première fois que j'ai rencontré le docteur Bédard, c'était donc, en principe, pour accompagner mon cousin. Mais cette visite m'a à ce point convaincu que j'ai demandé immédiatement un rendez-vous pour ma propre greffe. Plusieurs facteurs m'ont convaincu.

D'abord, je me suis senti en confiance. Le docteur prenait tout son temps pour expliquer en quoi consisterait la greffe, comment s'y préparer, etc.

Puis il semblait apporter un grand soin dans la sélection des candidats à la greffe. Pour la première fois, je rencontrais quelqu'un qui semblait plus intéressé par les résultats que par les factures. Il a d'ailleurs conseillé à mon cousin de retarder sa greffe de quelques années parce qu'au moment de notre première visite, sa calvitie n'était pas encore assez formée pour lui indiquer jusqu'où ça irait.

Quant à moi, mes traitements se sont échelonnés sur plusieurs mois et je suis entièrement satisfait des résultats. Au début, j'aurais voulu faire descendre ma ligne frontale un peu plus basse que ce que le médecin me suggérait. Je suis très heureux de m'être finalement fié aux conseils du docteur Bédard.

Ma chevelure est abondante et d'aspect très naturel. C'est normal, ce sont mes vrais cheveux. Après la repousse de mes cheveux, quelque chose d'extraordinaire s'est produit. J'ai senti une grande confiance en moi m'envahir. Je ne peux pas dire que j'avais *retrouvé* la confiance en moi, parce que c'était plus fort que cela. En fait, j'ai plus confiance en moi maintenant que je l'avais à trente ans avant de perdre mes cheveux.

C'est comme si le fait d'avoir perdu mes cheveux et de les avoir retrouvés avait augmenté cette confiance. C'est souvent après une perte qu'on apprécie le mieux ce qu'on a. Maintenant, je ne crains plus de m'asseoir sous une lumière dans un restaurant ou de me pencher la tête quand je parle à des gens. Cette nouvelle image de moi m'a donné une grande confiance dans la vie.

Louise Marchand, éducatrice.

Au fil des ans et après quelques accouchements, je me suis retrouvée dans la trentaine avec une ligne frontale de cheveux passablement clairsemée. Comme je suis une personne très fière, c'est peut-être mon péché mignon, j'ai voulu corriger la situation. Ça me fatiguait beaucoup, j'avais l'impression que tout le monde voyait mes cheveux clairsemés sur l'avant. Quand on me prenait en photographie, tout de suite je regardais si ma ligne de cheveux était apparente. J'étais habituée à avoir été une belle petite fille, puis une belle jeune femme, alors cette petite calvitie me préoccupait vraiment.

Ici, au travail, le mari d'une de mes collègues avait eu une greffe de cheveux et j'ai appris qu'il avait été très satisfait du docteur Bédard. Il m'avait dit que ce n'avait pas été douloureux et que ce n'était pas si dispendieux qu'on aurait pu le croire. J'ai donc pris un rendez-vous.

Le docteur Bédard est un fin psychologue et m'a beaucoup interrogée pour connaître mes motivations personnelles. Il craignait que ma motivation soit de faire plaisir à mon entourage. Il m'a dit qu'il lui arrivait de refuser des candidats en prétextant une zone donneuse trop faible quand il se rend compte que les motivations ne sont pas d'ordre personnel.

J'ai donc été acceptée et je me suis fait greffer des cheveux. Durant l'opération comme telle, on ne ressent pas de douleurs. Peut-être des pincements lors de l'anesthésie mais, une fois gelé, on ne ressent plus rien. On regarde un vidéo durant l'intervention. L'implantation des cheveux se fait tout-à-fait sans aucune douleur. De retour chez moi, j'ai ressenti un peu de douleur au coucher; la zone donneuse était sensible.

J'ai été très satisfaite des résultats. Le docteur Bédard en avait fait plus que prévu. En deux séances, il m'avait greffé plus de cheveux que prévu. Ça donne de très beaux résultats. Je recommande donc cette intervention à tout ceux et celles qui en ont besoin.

Patrice Gauthier, agriculteur.

Un jour, il y a de cela trois ou quatre ans, un cousin est venu à la maison. Il avait des très petits "picots" noirs sur la tête. A son départ, mon épouse lui a demandé ce qu'il avait. Il nous a dit qu'il était allé se faire greffer des cheveux. Il nous a expliqué comment ça c'était passé et ça m'a donné le goût d'en savoir plus long.

Moi-même j'avais un rond sur l'arrière de la tête qui était totalement chauve, mais je préférais endurer cette calvitie que de porter une perruque. Quand j'ai vu les résultats sur mon cousin, j'étais convaincu; je voulais rencontrer ce docteur Bédard. Mon cousin m'avait dit qu'il l'avait trouvé très honnête.

Lui-même lui avait emmené un de ses amis à qui le docteur Bédard avait refusé de greffer ses cheveux parce qu'il ne disposait pas d'une zone donneuse suffisamment garnie. Comme je connaissais aussi cet ami, je n'ai pas eu de doute. Je me suis donc rendu à la clinique du docteur Bédard.

Je voulais que celui-ci regarnisse en premier la calvitie à l'arrière de ma tête, mais le docteur me suggéra plutôt de commencer à regarnir l'avant en premier. J'ai suivi son conseil et je ne le regrette pas du tout. J'ai eu quatre séances de transplantation et aujourd'hui l'avant et l'arrière de ma tête sont complètement regarnis.

Les interventions comme telles ne font pas mal. La zone donneuse reste sensible après l'opération pendant deux ou trois jours. C'est certain qu'il s'agit d'un bon investissement, mais finalement moins cher que ce qu'il en coûte de remplacement et d'entretien d'une perruque.

J'ai un frère qui a aussi été chez le docteur Bédard mais qui n'a pas pu être greffé faute de zone donneuse suffisante. Lui, il porte une perruque qui lui coûte plus de deux mille dollars et qu'il doit remplacer aux deux ans. Mon investissement est plus rentable car il dure toute ma vie. Sur une période de dix ans seulement, il aura dépensé en perruques et entretien près du double que ça m'a coûté.

Ce qui m'amuse le plus aujourd'hui est de rencontrer des gens que je n'ai pas vus depuis longtemps. Ils me trouvent rajeuni et mettent un certain temps à trouver quelle en est la cause. Je suis bien fier d'avoir eu une zone donneuse suffisante pour me faire transplanter des cheveux.

....

Chapitre 16
Anecdotes

ANECDOTES

Chirurgien au tapis!

Il y a une quarantaine d'années, la greffe de cheveux effectuait ses premiers pas. Nous disposions d'une instrumentation rudimentaire et de locaux, non pas aménagés, mais plutôt « adaptés » à la greffe capillaire; bref, une installation que l'on qualifierait aujourd'hui de « fortune ». Petits cubicules étroits, patient face au mur et plancher recouvert de tapis, décrivent assez fidèlement les lieux d'alors où le patient ne pouvait rien voir de l'action qui se déroulait au-dessus et en arrière de lui.

Au cours d'une de ces interventions, j'étais en train de prélever dans la zone donneuse. A l'époque, on prélevait les greffons un à un et on les déposait religieusement dans un contenant rempli de sérum physiologique. A chaque prélèvement, l'assistante présentait donc le contenant au chirurgien. Au dernier greffon, j'attends la présentation du contenant... qui ne vient pas! Quelque peu impatient, je me retourne pour regarder mon assistante que je croyais distraite. De grosses larmes coulent alors sur ses joues et elle étouffe un sanglot avec grand peine. Je réalise avec effroi que le contenant repose sur le tapis et que les greffons gisent par terre, évidemment contaminés!

Quelle horreur! Un patient vient nous voir, en principe, pour qu'on lui greffe des cheveux et non pour qu'on les jette à la poubelle! Désemparé, ne sachant que faire, je lui fais signe de sécher ses larmes et de ramasser les greffons. Pendant ce temps, je termine seul le prélèvement et procède au pansement temporaire. Un silence des plus absolu emplit le cubicule.

Les livres ne nous apprennent pas la conduite à suivre en telles circonstances. Ils auraient certainement suggéré d'informer le patient de la situation et de terminer ainsi l'opération, mais je n'arrivais pas à me résoudre à gaspiller ces cheveux. Puis une question me traversa l'esprit: « Si c'était ***tes*** cheveux qu'on allait jeter à la poubelle, que ferais-tu? » La réponse s'imposa: **pas de poubelle!** Lave-les soigneusement au sérum physiologique, implante-les tous et donne-moi des antibiotiques pour me couvrir.

On procède alors au lavage et à l'implantation! L'intervention terminée, avant même que je ne puisse ouvrir la bouche pour informer le patient de ce qui venait de se passer et lui faire part des raisons de ma décision, celui-ci prend la parole et me dit: « Merci docteur, le tout s'est bien déroulé et je suis très content. J'espère seulement qu'il ne me poussera pas du tapis sur la tête! » Et moi qui croyais qu'il n'avait rien vu! Totalement ahuri, le souffle coupé, je ne trouve rien d'autre à lui répondre que: « pourvu qu'il ne pousse pas de cheveux dans mon tapis... ». J'ai encore peine à croire que j'ai pu lui dire pareille énormité...

Bref, le tout n'apporta aucune conséquence fâcheuse. Les cheveux ont bien poussé et j'ai revu ce patient à plusieurs occasions au cours des dix années qui suivirent. Aucun problème, aucune complication. Comme on dit au Québec: « Il y a un petit Jésus pour les imbéciles ». Et il semble que c'est vrai même pour les chirurgiens...

Quelle hérésie chirurgicale! Devrais-je même oser raconter cette histoire? La réponse me vint d'un de mes premiers professeurs de chirurgie qui m'a dit un jour: « Tu sais, Pierre, tous les chirurgiens ont leur petit cimetière de bêtises derrière eux. Il y a ceux qui se retournent pour le regarder et se poser des questions et les autres qui prétendent qu'il n'y a pas de cimetière ». Vous êtes chanceux, je vous invite dans mon cimetière.

Qui perd, gagne!

Gil Mennetrey et moi sommes de vieux amis et, probablement, les deux êtres les plus disparates qui existent. Notre manière de vivre et notre pensée sont vraiment aux antipodes. Par contre, notre amour de la vie, notre sensibilité et notre brûlante passion pour ce qui concerne les cheveux nous unissent dans une amitié à la Montaigne: indissoluble et inconditionnelle. Nos activités diffèrent totalement. Il pratique la plongée et c'est un chasseur invétéré, un champion (pourquoi pensez-vous qu'il demeure dans un bled en Sologne?). Quant à moi, j'affectionne la voile, le tennis, le bridge et l'informatique.

Gil m'a toujours semblé curieux et un tantinet jaloux de mes activités. Mes soupçons se sont confirmés quand il fut piqué au vif après une remarque de ma compagne disant que je venais de gagner un match de tennis contre un joueur bien quoté.

A son départ du Québec, il me dit: « Pierre, la prochaine fois que tu viens en France, tu dois apporter ta raquette de tennis ». Je m'exécute avec plaisir. Cette fois, à peine arrivés à Paris, on embarque en vitesse pour Strasbourg, où dit-il, il a des choses à régler. Bizarre! Arrivés là-bas, je constate que le tout aurait facilement pu se régler par téléphone mais voilà que la situation s'éclaire. L'associé de Gil à Strasbourg est un champion local de tennis et, quel hasard!, un court a déjà été réservé pour deux heures le même après-midi!

Pour ajouter aux coïncidences, cette après-midi-là, presque tout le groupe de NORGIL assiste au match... Ce match fut très certainement le meilleur de ma carrière et le pauvre champion en a pris pour son rhume! Je croyais le problème définitivement réglé, mais c'était bien mal connaître mon ami Gil...

En effet, plusieurs années plus tard, au cours d'une de ses visites à Montréal, Gil m'annonce, en grandes pompes et sourire en coin, qu'il prend des cours de tennis depuis fort longtemps et désire disputer quelques matchs.

Ce que Gil veut, Dieu le veut. Nous allons jouer. Mais les balles de tennis semblent ignorer la volonté de Gil. Si bien que c'est l'hécatombe: 6-0, 6-0, 6-0 et un Gil qui ne cesse de courir, même les balles perdues. Il en a tellement bavé qu'il en perd une partie de ses cheveux! Et je dois, avant son départ, lui faire une greffe capillaire, à l'oeil, évidemment. Finalement je me retrouve perdant. Victoire à la Pyrrhus!

Un spécialiste dans le vent

Au début de la greffe capillaire, bouquins et congrès n'existaient pas. La seule façon de se tenir à jour consistait à visiter les confrères et d'échanger pour trouver de nouvelles idées, de nouveaux concepts et de nouvelles instrumentations. On y apprenait aussi de nouveaux trucs du métier mais le plus souvent, on voyait ce qu'il ne fallait pas faire, ce qui, somme toute, était aussi important.

Dans le cadre de tels échanges professionnels, j'ai eu la visite d'un grand patron de la chirurgie esthétique française à ma clinique, pour un séjour prévu d'une semaine. Le pauvre portait une moumoute affreuse, décolorée en s'imaginant comme plusieurs que personne ne s'en apercevait.

Or, chez-nous, en été le Mercredi est religieusement consacré à la compétition de voile. Nous l'avons bien sûr invité à se joindre à nous à titre de « passager de première classe ».

Ce titre le dispense de participer activement aux manoeuvres. Les seuls *travaux* qu'il aurait à effectuer seraient d'éviter de recevoir des coups en attrapant la bôme sur la tête et tenter de nuire le moins possible...

Les problèmes ont commencé avant même la fameuse excursion. Pendant que nous roulions vers le club de voile, d'un geste automatique je dégage le toit ouvrant. Oh catastrophe! La moumoute s'envola, littéralement aspiré par l'ouverture du toit. Mon hôte l'attrape de justesse et la réinstalle sur sa tête. Faisant comme si je n'avais rien vu, j'opte pour laisser le toit ouvert de peur de n'éveiller les soupçons de mon invité.

La compétition de voile fut encore pire. Un vent déchaîné, des virements de bord et des empannages fréquents contraignaient notre infortuné à ne manoeuvrer que d'une main, l'autre étant monopolisée par le maintien de la moumoute. Pour en ajouter, mentionnons qu'il ne semblait pas doué d'une nature agile si bien que même à deux mains, si c'eut été possible, les déplacements sur le bateau auraient déjà été pénibles... Or, juste au moment d'arriver et alors que le pauvre voyait sa délivrance approcher, nous nous retrouvons en duel avec un autre bateau et ce pour la première place. Les manoeuvres se multiplient, vives et sans avertissement. Au cours du dernier empannage où la bôme change de bord violemment et où il faut par conséquent protéger nos têtes, notre chirurgien ne baisse pas assez la sienne et voilà la moumoute complètement arrachée.

Tel une grande vague, pour lui ce dut être un raz-de-marée, un éclat de rire général déferla sur tout l'équipage, qui se transmit aux bateaux avoisinants et bientôt à tous les bateaux. Moi-même n'ai pu y résister.

Le lendemain, pour une raison oubliée, il m'annonça qu'il devait retourner en France prématurément. Je ne l'ai jamais revu et j'avoue n'avoir jamais eu le courage de lui téléphoner et encore moins de le visiter pendant mes séjours en France.

Bien sûr, nous avons récupéré le trophée...

Voyage hallucinant! par Gil Mennetrey

Après avoir assisté ensemble à une opération chirurgicale en Suisse, Pierre nous demande de passer à Zurich , pour une halte touristique.

Il est minuit quand nous rentrons à Nancy par Strasbourg. Soudain, à la douane, une dizaine de policiers entourent notre voiture avec des mitraillettes braquées sur nous. Ils portent des gilets pare-balles. Effarés, nous nous retrouvons menottes aux poignets, emportés manu militari dans un fourgon blindé jusqu'au poste de police, pendant que nous entendons celui qui semblait être le chef téléphoner à son supérieur en disant « Ca y est, chef, on les a tous les quatre ».

Enchaînés à un radiateur nous subissons un interrogatoire musclé où il est question de « blanche », de « poudre » et autre « schnouf ». De plus en plus ahuris, nous ne comprenons rien à ce qui arrive. Le policier qui m'interroge me menace : « Avoue que tu es le chef du réseau français, d'ailleurs on a retrouvé une grosse somme d'argent, en espèces, dans le sac de ton acolyte, le chef du réseau canadien et que tes collègues, sont respectivement le chef du réseau argentin et le chef du réseau allemand.

Abasourdi, je ne sais que répondre. Mes amis seraient-ils des chefs de réseaux de distribution de drogue ?

Je nie bien sûr être mêlé à ce trafic et quelques heures après, nous nous retrouvons tous les quatre dans une cellule du poste de police avec de vrais braqueurs qui venaient d'être capturés au cours d'une casse.

Après quelques instants, nous constatons avec surprise que les braqueurs nous prennent eux aussi pour les grands chefs de la French Connection et nous avons alors droit à une véritable admiration et à de profondes marques de respect de leur part.

Devant mes amis estomaqués, je décide de jouer le jeu et de nous faire passer pour d'authentiques « parrains ». La situation était tellement extravagante, autant aller jusqu'au bout de l'absurde.

Pendant ce temps, les policiers vérifiaient nos identités et en collaboration avec Interpol se rendaient compte, enfin, qu'ils avaient fait erreur sur les personnes.

A 8 heures du matin, ils venaient nous libérer devant nos compagnons de cellule, ébahis, à qui je soufflais : « Vous avez vu , je vous l'avais dit, à notre stade, on est intouchables. Ils sont obligés de nous libérer, sinon, ce sont eux qui sautent. »

Vous décrire la tête du Docteur Bédard à ce moment là est impossible. Je vous assure simplement que cet épisode l'a marqué à vie et qu'il ne l'oubliera jamais.

Il y a bien eu d'autres épisodes extraordinaires qui ont marqué notre collaboration.

Erreur en lambeaux. par Gil Mennetrey

Un jour, j'invite le docteur Bédard à Paris pour lui faire rencontrer un des plus grands chirurgiens français de la calvitie, le Docteur D. qui avait mis au point une nouvelle technique de lambeau en un seul temps. Cette technique était intéressante d'autant plus que le résultat esthétique était souvent très satisfaisant.

Nous étions tous les trois en salle d'opération et le Docteur D. expliquait sa technique en même temps qu'il découpait le lambeau de cuir chevelu qui devait pivoter sur sa base tout en restant attaché au cuir chevelu du patient.

Soudain, le bistouri dérape et le Docteur D. se retrouve stupidement avec le lambeau dans la main... complètement détaché du cuir chevelu. Une longue minute se passe alors sans un seul mot. Je verrai toujours le regard de ces deux médecins au dessus de leur masque, avec les gouttes de sueur qui perlaient sur leur front et qui fixaient,incrédules, la bande de cuir chevelu devenu subitement inutilisable. En plus, c'était un de mes clients, à qui j'avais recommandé ce chirurgien habile et réputé. Il faut savoir que la situation était dramatique pour le patient qui risquait d'être défiguré.

Alors, le Docteur D. a eu une idée de génie. Il pose le lambeau sur une planchette et le découpe en petits losanges qu'il regreffe avec l'aide du Docteur Bédard. Deux heures après, tout était parfaitement reconstitué et jamais personne ne s'est rendu compte de rien. Même pas mon client qui est enchanté du résultat.

La toute première anecdote sur le cheveu qui me revient à l'esprit a été la plus comique :

Une cliente offusquée! par Gil Mennetrey

A 16 ans, j'étais déjà passionné par les soins du cheveu, et je connaissais déjà celui qui allait devenir pendant plus de 20 ans, mon associé, Norbert Theuret. Lui, suivait les cours de

Marcel Contier, un célèbre bioesthéticien qui enseignait les soins du cheveu. Quant à moi, j'étudiais les soins cosmétologiques de l'Oréal, Perma, Eugène, les trois grandes marques françaises de produits capillaires.

J'appliquais les crèmes et les lotions dans le salon de coiffure de ma mère, à Nancy, où une clientèle déjà nombreuse avait recours à nos services.

Un jour, je demande à l'apprentie coiffeuse de rincer une crême traitante que j'avais appliquée sur les cheveux d'une cliente. La jeune apprentie rince le baume, mais insuffisamment.

Je m'en aperçois au coup de peigne final, mais il était malheureusement trop tard. Cette cliente avait des cheveux fins. Imaginez ce que pouvaient donner des cheveux fins, mal rincés du baume traitant. Et pour arranger le tout, cette cliente ne cessait de me repéter :

« Surtout, je veux une coiffure très bouffante dans la nuque, très très bouffante ! »

Plus je crépais les cheveux pour les gonfler, plus la coiffure, irrémédiablement, s'effondrait à cause des cheveux fins et collants. J'étais désespéré et je ne savais plus que faire, d'autant que la cliente m'a demandé de lui montrer sa nuque, ridiculement plate, bien entendu.

« Mais enfin, vous n'avez rien compris, je vous demande depuis dix minutes de me bouffer le derrière ! ! ! »

Pendant quelques secondes, un silence de mort plane dans le salon ; puis une première cliente a commencé à pouffer de rire, et c'est bientôt toutes les clientes qui sont parties dans un immense éclat de rire, sauf moi qui n'avait pas encore compris le terrible jeu de mot et qui répond :

« Mais, Madame, je ne peux pas, il est tout gras ! »

Dans le salon, c'est le délire. Vexée d'avoir provoqué une telle hilarité à ses dépends, la cliente s'est levée, et est partie sans un mot ; nous ne l'avons jamais revue.

Au fil de la parole... par Gil Mennetrey

Autre anecdote qui m'a laissé un sacré souvenir. Un jour, l'épouse d'un coureur cycliste très connu du Tour de France me demande une prothèse avec fixation chirurgicale. Elle était atteinte de calvitie totale et n'avait plus un seul poil non plus, sur le corps.

A cette époque, la fixation chirurgicale était à la mode et nous acceptions de la pratiquer.

Le chirurgien, le Docteur V. passait un fil en surjet dans le cuir chevelu et nous fixions la prothèse sur le fil.

L'intervention venait de se terminer et je demande à la cliente si tout allait bien. Elle répond par un grognement sourd. Surpris, je renouvelle ma question :

« - Est-ce que tout va bien, Madame L. ?

Be bi bi... » me répond-elle sans ouvrir la bouche.

Et elle me fait signe qu'elle veut écrire. Nous lui donnons immédiatement une feuille de papier et un crayon et elle m'explique par écrit qu'elle a la bouche coincée et qu'elle ne peut plus parler.

Je demande au médecin ce qu'il en pense. Il nous répond

que c'est certainement parce qu'elle s'est crispée pendant l'intervention et que cela va se débloquer dans la soirée. Rassurés, nous laissons notre cliente repartir. Le lendemain, je téléphone pour prendre des nouvelles, c'est le mari coureur qui me répond.

Il est inquiet. Sa femme a toujours la bouche coincée et elle a ... très faim. Le médecin consulté ne comprend pas et lui conseille de sucer des yaourts avec une paille pour tromper sa faim.

Quinze jours après, la situation est toujours la même. Je téléphone à Pierre Bédard au Canada. Il ne comprend pas et me confirme qu'il n'y a aucune corrélation entre les muscles de la bouche et ceux du crâne.

Finalement, après trois semaines sans améliorations, je me rends chez Mme L. et je coupe les fils qui fixaient la prothèse sur le crâne; et bien, vous n'allez pas le croire, mais aussitôt, Mme L. ouvre sa bouche en grand et se jette sur une tarte qui semblait l'attendre sur sa table.

Aujourd'hui, la fixation chirurgicale des prothèses est totalement abandonnée.

Nous n'avons jamais rien compris à cette histoire pour laquelle, la logique et les explications scientifiques n'ont fourni aucune explication.

Congrès. par Gil Mennetrey

Parmi les grands moments de ces 20 dernières années, il y a eu également le congrès mondial des recherches contre la calvitie.

Depuis toujours, je rêvais de réunir les meilleurs chirurgiens et les meilleurs spécialistes de la calvitie lors d'un grand congrès à Paris.

Au début de l'année 1985, nous nous promenons, ma compagne et moi, dans la galerie du Palais des Congrès à Paris. Soudain, le chanteur Michel Sardou sort d'une répétition du spectacle qu'il donnait dans la Salle du Grand Auditorium.

Deux jeunes minettes se ruent sur lui et l'embrassent à pleine bouche.

- »Il en a de la chance, Michel Sardou «

- « Oui, c'est normal, il passe au Palais des Congrès, lui, me répond mon amie.Passe, toi aussi, au Palais des Congrès et tu auras peut-être aussi du succès. »

Piqué au vif, je l'emmène immédiatement au service de réservation et demande à louer la salle de... 4000 places pour le premier dimanche de libre.

On me répond que c'est le 25 septembre. Je dis OK et je signe la réservation en faisant le chèque d'acompte de 50 000 Frs. devant ma compagne complètement éberluée.

Ce n'est que quelques minutes plus tard que je réalise le stupide défi que je venais de lancer. Louer la grande salle du Palais des Congrès. Pourquoi faire ?

Dans la soirée, me vient l'idée d'en profiter pour organiser le Congrès Mondial des Recherches contre la Calvitie.

Mon ami et associé, Norbert, habitué à voir des moments forts, ne peut s'empêcher de me demander si je ne suis pas souffrant. Finalement, il me suit et il m'aidera considérablement dans l'organisation de ce congrès à la mesure de mon coup de folie.

Pour convaincre les meilleurs chirurgiens et spécialistes d'accepter de développer leurs techniques devant la presse et le public, il fallait beaucoup de persuasion , de culot et de chance .

J'entends alors parler de médecins japonais qui auraient trouver une nouvelle technique d'implantation avec des cheveux artificiels. C'est la méthode Nido.

Je pars immédiatement au Japon avec mon fils de 20 ans qui parle admirablement bien l'anglais.

Nous visitons les cliniques Nido et invitons les chirurgiens japonais à venir montrer aux spécialistes du monde entier leur nouvelle technique. Ils acceptent. Le Docteur Jules Nataf, aujourd'hui décédé, un des meilleurs chirurgiens de la calvitie, accepte également de venir faire une conférence. Bien sûr, Pierre Bédard, mon ami canadien accepte lui aussi de présenter sa technique de greffes et trois autres chirurgiens de grande notoriété suivent : Le Docteur Jean Claude Dardour, éminent spécialiste de la calvitie, le Docteur Gilbert Ozun, chirurgien remarquable qui présentera la technique des ballonets extensibles et le Docteur Jacques Toyon qui parlera des greffes en bandelettes.

Je contacte également J. Claude Seintier, mon concurrent le plus direct qui me « prête » son célèbre modèle, le coureur automobile, Bernard Darniche. Différents autres spécialistes présentent eux-aussi leurs méthodes. Nous prévenons les journalistes et pour tenter d'amortir les frais énormes que le congrès entraîne (600 000 Frs) je fixe le prix des entrées à 500 Frs. (3 fois plus cher que l'entrée pour le spectacle de Michel Sardou).

Une heure avant le début du congrès, à 13 H., nous n'avions aucune idée du nombre de personnes qui viendraient assister au Congrès Mondial des Recherches contre la Calvitie. Le matin, aux informations de 7 heures, EUROPE n° 1 a passé l'interview d'un chirurgien connu qui s'est moqué de ce *curieux congrès* dont le Président est pratiquemment un inconnu. Je pressens le pire. Quelques journaux ont signalé l'événement par un entrefilet mais c'est le flou le plus total quant au nombre de participants.

Quant à moi, derrière les rideaux de la scène immense de cette salle géante, je crevais de peur avant de commencer.

A 13H15, les premières personnes arrivent. A 13H50, on enregistre déjà plus de 1000 entrées. A 14 H, 1300 personnes sont dans la salle, et parmi elles, 300 médecins et ... 60 journalistes. C'est fou!

J'avale un double whisky avant de saisir le micro et de bondir sur la scène, aveuglé par les projecteurs et accompagné par une musique tonitruante que Norbert a préparée.
Et puis, tout se déroule comme dans un rêve.

Je présente le programme, les chirurgiens et les spécialistes qui vont nous présenter tout au long de l'après midi les différentes techniques de lutte contre la calvitie.

A 14H30, je présente notre modèle, Gilles, un garçon de 30 ans qui a accepté d'être le premier homme occidental à se faire implanter des cheveux artificiels.

Nous avons installé un bloc opératoire dans une salle stérile à l'étage supérieur, avec deux caméras qui diffusent les images de l'intervention en direct, sur un écran géant de 8 mètres pour que tout le monde voie comment se passe l'intervention.

Pendant que les médecins japonais opèrent, les autres chirurgiens et spécialistes exposent chacun leurs différentes techniques.

A 17 H, l'opération est terminée et Gilles, notre modèle redescend sur scène et tout le monde peut voir le résultat. C'est superbe. En 2 heures 30, il a retrouvé 3000 cheveux directement implantés dans son cuir chevelu.

La moitié de la salle envahie la scène. Tout le monde est sidéré et veut voir et toucher de près.

Dès le lendemain, les journaux parlent de l'événement comme une réussite totale. Libération, Le Figaro, France Soir nous consacrent une page entière. Plus de 60 articles relateront le congrès. Nous sommes reconnus comme des gens sérieux et je suis invité à une trentaine d'émissions de télévision. A y réfléchir aujourd'hui, c'est certainement ce qui m'a aidé le plus pour la suite de mon parcours.

Aujourd'hui, la technique des implants de cheveux artificiels est interdite aux U.S.A. et au Canada. Elle est fortement contestée en France en raison des problèmes d'infection qu'elle génère.

Plusieurs émissions dont j'ai été l'invité comme Infovision, Santé à la une ou Top Santé ont été possibles à cause de ce congrès, resté légendaire chez les professionnels du cheveu.

Fini, le synthétique... par Gil Mennetrey

La dernière anecdote est plus récente. Elle s'est déroulée cette année, il y a quelques semaines. Une des plus grandes somités mondiales de la médecine me téléphone complètement affolé. Cet éminent médecin s'était fait implanté des cheveux synthétiques dans le cuir chevelu qui s' était complètement infecté. Un de mes amis, excellent chirurgien esthétique, est obligé de lui enlever un par un les 3000 cheveux, cause de l'infection.

Ce professeur de renom doit apparaitre à une grande émissoin de télévision en septembre et il me demande de faire quelque chose pour lui afin d'être présentable. Il a d'autre part une réunion avec le Ministre de la Santé dans quelques jours et il faut trouver une solution à tout prix.

Je lui délègue immédiatement un des meilleurs spécialistes, Michel Michelot qui prend l'avion et qui se rend dans la ville de l'illustre patient sur la Côte d'Azur. Cet homme qui pesait au moins 85 kg, et qui est très souvent l'invité d'émissions médicales est descendu à 65 kg. Il est pâle, complètement abattu et démoralisé.

J'ai immédiatement téléphoné au Japon, où nous avons expédié sa prise d'empreinte en « chronospost » pour qu'on puisse lui faire en urgence médicale, un complément capillaire ultra léger afin qu'il puisse rencontrer le Ministre, sans que celui-ci s'apercoive d'un changement. Ce complément lui permettra également de paraitre à la télévision en septembre sans que les téléspectateurs n'aient le moindre soupçon sur ses nouveaux cheveux.

....

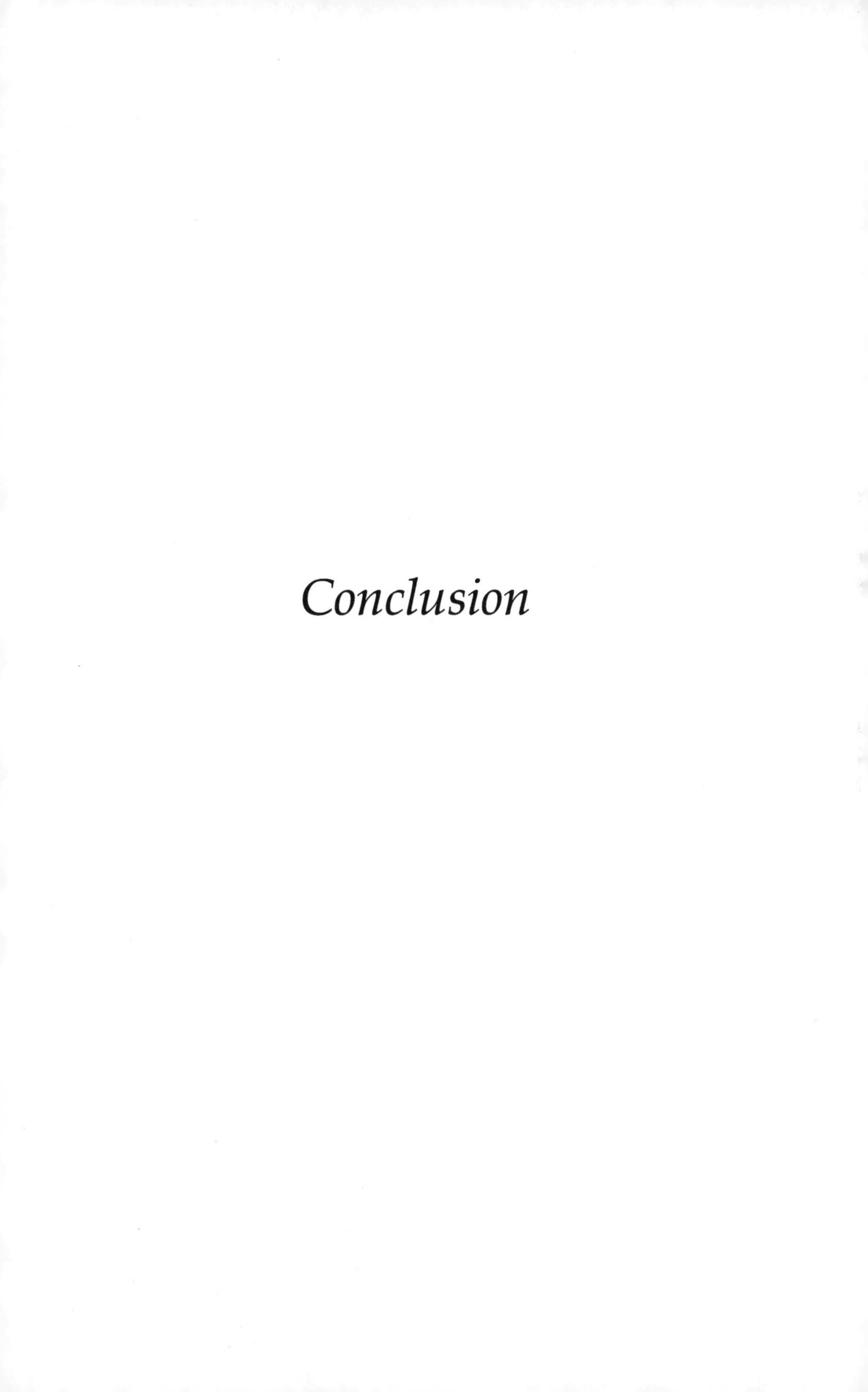

Conclusion

CONCLUSION

De la prévention tu appliqueras afin de garder tes cheveux longuement.

Au chapitre portant sur la calvitie, nous avons mentionné que ***RIEN*** ne pouvait empêcher un cheveu programmé génétiquement de tomber. Cependant nous y disions aussi que cette chute pouvait être accélérée ou retardée selon les soins que nous apportions à notre chevelure. Une saine hygiène de base et un contrôle plus efficace du stress peuvent influencer positivement l'état général du follicule pileux et retarder au maximum sa dégradation. En ce sens, la prévention ne coûte pas cher et, comme le disait une publicité, rapporte bien...

De l'information tu prendras afin de décider adéquatement.

Nul n'est besoin de devenir un spécialiste capillaire afin de contrôler son problème de calvitie. Pourtant une bonne connaissance des mécanismes impliqués dans la biologie du cheveu peut aider grandement. Ces informations devraient permettre une économie substantielle en temps et en argent en évitant de chercher la solution miracle, le produit ou la technique dernier cri qui feront repousser vos cheveux. De plus, lorsque viendra le temps d'examiner les différentes solutions sérieuses, temporaires ou permanentes, qui s'offrent à vous, ces connaissances faciliteront votre prise de décision.

La consultation précoce tu adopteras afin de gérer au mieux ton capital cheveu.

S'il est une seule notion que vous devriez avoir retenue à la lecture de ce livre, c'est bien celle-ci. Votre capital cheveu est une ressource précieuse, essentielle qui permet de corriger vos problèmes de calvitie seulement s'il est géré efficacement. De plus, celui-ci n'est pas illimité. Bien au contraire, il est pré-déterminé par vos caractéristiques individuelles héréditaires. En ce sens, il constitue une réserve précieuse dans laquelle on peut piger ***prudemment***. La consultation précoce, dès les premiers signes d'une calvitie qui s'annonce, constitue le moyen de choix de ***voir et de prévoir*** avant d'intervenir. Tant pour le chirurgien que pour le patient, la consultation précoce évite bien des erreurs. En effet, l'un et l'autre pourraient être tentés d'intervenir trop précocement et se retrouver cinq, dix ou quinze ans plus tard avec une zone de calvitie qui a évolué et un capital cheveu qui ne permet plus aucune intervention. A l'inverse, la consultation précoce permet des interventions prudentes et, en bout de ligne, une utilisation optimale d'un capital cheveu bien géré. De tous les scénarios possibles, il faut toujours prévoir le pire. Si le pire n'arrive pas, c'est tant mieux. Comme ce scénario vous est unique parce qu'il dépend de votre propre hérédité, seule la consultation précoce offre un maximum de justesse dans sa prévision. Combien d'erreurs, souvent lourdes de conséquences, pourraient être évitées si seulement le capital cheveu était géré plus prudemment?

Tout ton temps tu prendras pour décider efficacement.

Nous avons mentionné à maintes reprises dans ce livre qu'en chirurgie capillaire, rien n'est urgent. Mieux vaut retarder sa décision que de risquer de regretter une action trop hâtive. Il faut bien prendre son temps afin d'évaluer ses motivations profondes, choisir un chirurgien expérimenté et finalement opter pour une microtransplantation douce des cheveux. On ne doit jamais oublier que cette dernière apporte des résultats qui seront permanents. Si on peut décider assez rapidement de l'achat d'un téléviseur, en général on prend plus son temps en ce qui concerne l'acquisition d'une maison. C'est normal, on a l'intention d'y habiter longtemps. Pour ce qui est de la greffe de cheveux, le raisonnement devrait être le même. Il ne s'agit pas d'une simple mise en pli ou encore d'une coupe de cheveux qu'on pourra modifier au besoin.

Tes motivations tu examineras afin de décider librement.

Il existe fondamentalement trois types de motivations: personnelle, professionnelle et sociale. Si les deux premières ne posent qu'exceptionnellement des problèmes, il en est autrement de la troisième. En effet, lorsque l'on décide d'une greffe de cheveux pour se faire plaisir ou par besoin professionnel comme dans le cas d'un acteur qui doit conserver la même image, pratiquement toujours, on se retrouve satisfait des résultats. Par contre si on prend la même décision pour faire plaisir à son partenaire ou son compagnon de vie ou encore afin de conquérir l'âme soeur, des déceptions risquent fort d'arriver. Une bonne évaluation des motivations qui nous habitent peut éviter ce genre de situation.

Un bon chirurgien tu choisiras pour obtenir des résultats satisfaisants.

La gène demeure le pire ennemi à ce chapitre. Comme il s'agit de votre tête, un organe qui, en soi, est difficilement remplaçable, il ne faut surtout pas vous gêner pour demander et ***exiger*** toutes les informations qui vous permettront de juger le chirurgien que vous consultez. Nous ne répéterons pas ici les divers critères dont nous avons parlé au chapitre intitulé: *Choix du chirurgien*. Il convient cependant d'insister sur l'importance reliée à ce choix.

Du jour venu tu profiteras, en suivant les instructions évidemment.

Le jour de l'intervention chirurgicale a été planifié afin de vous assurer un maximum de confort et de détente. Les quelques instructions préopératoires et postopératoires abondent aussi dans ce sens. ***Ça ne fait pas mal*** et ***ça ne saigne pas***. A ce titre, la microgreffe est aujourd'hui victime des mêmes préjugés tenaces qui, il y a vingt ans, affectaient les dentistes. L'époque où le patient sortait du cabinet, la tête enveloppée de banderoles comme une momie égyptienne, est, chez-nous, révolue. En ce qui a trait à la douleur, l'utilisation du jet anesthésiant plutôt que des seringues a apporté une amélioration majeure. En fait la seule chose qui risque d'être compliquée pour vous est de choisir le titre du vidéo que vous visionnerez durant l'intervention...

Chauve tu resteras, si c'est ton désir honnêtement.

Plusieurs personnes, dont je suis, peuvent décider d'accepter leur calvitie et c'est très bien ainsi. La motivation première et la décision ultime appartiennent à 100% à celui qui vit avec sa calvitie. Le but de cet ouvrage n'est certainement pas de **vendre** la microtransplantation mais bien d'informer le public sur ses possibilités, ses limites et aussi ses pièges si elle est faite de façon trop hâtive. Nous croyons qu'une bonne information peut contribuer à des choix individuels plus éclairés et plus judicieux. Nul ne doit s'approprier le pouvoir de modifier l'image de quelqu'un sans son total consentement. Personnellement, j'ai toujours pris soin d'éviter une publicité trop tapageuse en me dédiant plutôt à informer et à renseigner. Les témoignages de mes patients m'indiquent que cette philosophie respecte leurs attentes et je les en remercie.

....

Imprimé au Canada par
Transcontinental Métrolitho